RÉSONAN

Collection dirigée par Étien

D0527629

Rédiger avec élégance

JEUX ET LEÇONS DE STYLE

par Jean LAMBERT

Agrégé de Lettres modernes

Dans la même collection

Programme Premières 97/98
- Étude sur *Électre* de Giraudoux, par O. Got.
- Étude sur les *Fables* de La Fontaine, par P. Caglar.
- Étude sur *Les Confessions* (I-IV) de Rousseau, par D. Dumas.

Programme Terminales 97/98
- Étude sur *La vie est un songe* de Calderón, par A. et C. Horcajo.
- Étude sur *La Chute* de Camus, par F.J. Authier.
- Étude sur *Lancelot ou le Chevalier de la Charrette* de Chrétien de Troyes, par V. Boulhol.
- Étude sur *Éthiopiques* de Senghor, par A. Urbanik-Rizk.

RÉSONANCES MÉTHODIQUES
- Enrichir son vocabulaire. Jeux et leçons de style (2des, Premières, Terminales), par J. Lambert.
- Rédiger avec élégance. Jeux et leçons de style (2des, Premières, Terminales), par J. Lambert.

Épreuves anticipées de français
- Le premier sujet : étude d'un texte argumentatif, par H. Marguliew.
- Le deuxième sujet : commentaire littéraire ou étude littéraire, par M. Bilon et H. Marguliew.
- Le troisième sujet : la dissertation littéraire, par P. Collet et O. Got.
- L'oral de l'épreuve anticipée de français (lecture méthodique, entretien), par P. Sultan.

Épreuves de Terminales
- Méthodologie de l'épreuve de Lettres des Terminales L et ES, par V. Boulhol.

RÉSONANCES HORS-PROGRAMME – ÉTUDES SUR...
- *Antigone* de J. Anouilh, par M.-F. Minaud • *Le Père Goriot* de H. de Balzac, par A.-M. Lefebvre • *Les Fleurs du Mal* de Ch. Baudelaire, par M.-G. Slama • *La Modification* de M. Butor, par B. Valette • *La Machine infernale* de J. Cocteau, par D. Odier • *Jacques le Fataliste* de D. Diderot par D. Gleizes • *L'Amant* de M. Duras, par D. Denes • *Un barrage contre le Pacifique* de M. Duras, par J. Bardet • *Amphitryon 38* de J. Giraudoux, par A. Faucheux • *La guerre de Troie n'aura pas lieu* de J. Giraudoux, par M. Brumont • *Dom Juan* de Molière, par O. Leplatre • *Le Misanthrope* de Molière, par P.-H. Rojat • *La Confession d'un enfant du siècle* de A. de Musset, par D. Pernot • *Sylvie, Aurélia* de G. de Nerval, par M. Faure • *Manon Lescaut* de L'Abbé Prévost, par P. Caglar • *Un amour de Swann* de M. Proust, par É. Jacobée • *Les Mains sales* de J.-P. Sartre, par J. Labesse • *Les Mouches* de J.-P. Sartre, par A. Beretta • *Le Parfum* de P. Süskind, par G. Bardet • *Vendredi ou les limbes du Pacifique* de M. Tournier, par F. Épinette-Brengues • *Poèmes saturniens* de P. Verlaine, par C. Dubois • *Les Nouvelles orientales* de M. Yourcenar, par C. Barbier.

ISBN 2-7298-6771-6

© ellipses / édition marketing S.A., 1998
32 rue Bargue, Paris (15e).

AVANT-PROPOS

Communiquer est sans doute un art ; mais la connaissance des pièges à éviter, des techniques de base, de quelques règles simples facilite grandement la maîtrise de la langue, à l'oral comme à l'écrit. Nous restons trop souvent bloqués, par peur de l'échec, de l'impuissance ou de l'erreur, là où nous pourrions éprouver un réel plaisir à échanger avec autrui des sentiments, des idées ou simplement la relation de faits correctement énoncés.

Aussi le maniement de la langue doit-il se faire de façon *ludique* : les recueils de perles, les mots d'enfants, mais également la publicité, la poésie, la chanson montrent à quel point l'usage du lexique, de la grammaire et de la rhétorique, loin d'être stérile ou rébarbatif, concourt à l'invention et est source de créativité.

C'est dans cet esprit qu'ont été conçus les exercices du présent ouvrage : il s'agit d'une série de tests *auto-évaluatifs*. Leur ordre ménage une progression pédagogique. En outre, chaque leçon commence par des Q.C.M. ; elle propose ensuite des questionnaires variés ; puis elle débouche sur une application plus ample.

Il convient avant tout de parler et d'écrire dans un français « standard » qui exclut les fautes, solécismes, barbarismes… Traquer les maladresses, lourdeurs et autres cacophonies donnera, dans un second temps, l'aptitude à manier une langue aisée. L'élégance viendra enfin, lorsque les ressources, ou les subtilités, de la rhétorique seront à portée. Les difficultés de la langue française sont le tribut à payer à la finesse de l'expression et à la qualité de la pensée. Le recours au dictionnaire, l'observation des auteurs, voire leur imitation, l'attention portée aux phénomènes linguistiques permettront progressivement d'accéder à la maîtrise du style.

L'ART DE LA RÉDACTION

1. QU'EST-CE QUE LE STYLE ?

Le **style**, au sens le plus général, est la façon de s'exprimer. Cette définition ne concerne pas seulement le langage mais aussi divers systèmes symboliques. Une voiture, un blouson, le mobilier, les manières de table, le choix d'un restaurant révèlent tous un style spécifique et relèvent d'intentions, conscientes ou non, qui concourent au processus de communication.

Les signes peuvent être **univoques** (n'avoir qu'un seul sens) : c'est le cas des panneaux du code de la route, des phares et bouées qui régulent la circulation maritime, du télégraphe, des drapeaux qui identifient chaque nation. Dans ce cas, le style intervient peu ou est totalement absent : un feu rouge est un feu rouge. Sa taille et son intensité sont liées à la nécessité d'être visible, non à un souci esthétique.

À l'inverse, les subtilités du langage font intervenir toutes les nuances du style. Il est toujours possible de s'exprimer « avec des fleurs » ou « d'employer des gants » pour assener les vérités les plus dures. On entend par là que les nuances permettent d'atténuer ou d'aggraver la force de tel ou tel message.

Ainsi, le pictogramme d'une cigarette barrée d'un trait sur fond rouge suffit à signifier l'interdiction de fumer. Le langage verbal permet, lui, de moduler cette injonction, depuis le comminatoire : *cigarette interdite* jusqu'au pudique : *Fumer peut provoquer des maladies dangereuses*. Notons que *Il est interdit de fumer* fait intervenir une prescription légale, exprimée de façon impersonnelle, et universelle.

La phrase nominale *Interdiction absolue de fumer*, où n'opère aucun sujet énonciatif, mais que renforce la présence d'un adjectif d'autorité, peut être à juste titre sentie comme arbitraire... et risque donc d'être mal admise, ou même enfreinte. *Je vous demande de vous abstenir de fumer* est plus poli ; *je vous prie* encore mieux vécu : l'abstraction, la prière apparaissent comme des marques de respect. *Vous serait-il possible d'éviter de fumer ?* cumule les signes de la modestie : interrogatif, conditionnel de politesse, locution négative semi-ouverte et surtout prise en compte grammaticale du seul destinataire (2e personne du pluriel : *vous*).

Pleinement maîtrisé, **le style est donc une des caractéristiques essentielles du langage verbal oral ou écrit**. Il permet au locuteur d'énoncer sa pensée avec un maximum de précision. Mais le style est aussi **le reflet d'une personnalité**. En ce sens, il correspond à la façon dont le sujet de l'énonciation s'exprime spontanément, en dehors de toute norme explicite ou de toute préoccupation volontaire à l'égard d'un public parfaitement ciblé.

Par conséquent, **le style traduit une manière d'être, une mode, des tendances inconscientes** : « c'est l'homme même », selon Buffon. C'est aussi ce qui distingue un groupe d'individus ou une époque historiquement datée. Le style de Céline est célèbre pour ses points de suspension ; celui de Sartre, dans *Les Mots*, est reconnaissable à la fréquence inhabituelle des deux points. Ces tics de ponctuation n'échappent pas au lecteur ! Le style féminin se manifesterait à travers certains indices comme le chatoiement d'une langue volontiers prolixe. Les déliquescences du style symboliste, tous auteurs confondus, prêtent le flanc, elles, aux parodies faciles...

2. À QUOI SERT LE STYLE ?

Les fonctions du style sont multiples. Certaines coïncident avec une intention clairement identifiée et un but parfaitement défini, au départ tout au moins. En écrivant *Les Châtiments,* Victor Hugo, par exemple, veut dénoncer l'arbitraire de la politique de Napoléon III. Mais la portée de l'œuvre dépassera largement sa visée strictement polémique.

Le style caractérise, comme on l'a vu, **l'appartenance à un groupe** ou dévoile une personnalité : c'est une marque de reconnaissance — et aussi une image de marque. On parle du style Régence, ou Empire, de l'Art Nouveau ou d'une mode rétro. On parle aussi du style d'un individu, d'un peintre, d'un musicien, d'un cinéaste. Un **pastiche** consiste à imiter le style d'un autre auteur ; la parodie le travestit. Dans *Le Hussard sur le toit*, Giono semble s'inspirer de Stendhal. *Virginie Q* (de Marguerite Duraille), parodie satirique de *L'Amant*, déforme jusqu'à la caricature le style de Marguerite Duras : il s'agit d'une charge.

Le style d'une opérette n'est assurément pas celui d'une tragédie racinienne et l'on ne saurait confondre le look des rockers avec le costume trois pièces imposé par la culture d'entreprise. Le style dépend du genre littéraire choisi, de la situation où l'on se trouve, de l'interlocuteur auquel on s'adresse. Dans tous les cas le style, s'il dénote une manière de s'exprimer, connote également la volonté de communiquer. Ainsi, il serait bon de compléter l'affirmation de Buffon (« le style, c'est l'homme même ») par les apports de la linguistique moderne et de la pragmatique.

La théorie de la communication insiste sur les rôles de l'émetteur et du récepteur, sur leur interaction et sur la forme du message. Pour un même produit, le style d'une publicité différera en fonction des personnes auxquelles elle s'adresse : une jeune étudiante, un cadre quinquagénaire ou un retraité fortuné.

La littérature pour la jeunesse n'obéit pas aux mêmes contraintes que la presse spécialisée dans l'analyse politique ou financière, etc. Le style, en ce sens, relève partiellement de la subjectivité. Mais il dépend aussi de son objectif et doit donc se plier à la reconnaissance d'autrui comme récepteur potentiel du message. Il n'y a pas d'écrivains sans lecteur, au moins imaginaire, pas de message sans destinataire à qui le transmettre, pas de marché sans cible supposée : le segment de population que le produit devrait intéresser. Bref, si l'on s'exprime, ce n'est pas pour le plaisir de s'entendre, mais bien pour se faire écouter, pour être fidèlement décodé et compris.

3. POURQUOI AMÉLIORER LE STYLE ?

Il est d'abord nécessaire de distinguer **expression** et **communication**. Pousser un cri constitue une forme d'expression. De même tenir un journal intime ou prendre hâtivement des notes à l'aide d'un système personnel d'abréviations. Adresser un message à un proche, même si cela peut se faire en style télégraphique, suppose déjà la prise en compte de la spécificité de l'interlocuteur et donc la recherche des moyens de se faire correctement interpréter. Une lettre d'amour n'atteindra l'effet recherché que si elle transmet, voire provoque des sentiments. Dès lors qu'un lecteur est impliqué, on passe de l'expression purement individuelle à la communication interpersonnelle.

Écrire consiste donc à communiquer un message entre un ou plusieurs émetteurs et un destinataire au moins. Il faut alors respecter les règles d'une lisibilité minimale. De même que l'on doit se plier aux exigences du code de la route pour pouvoir circuler librement, de même il convient d'accepter les contraintes de la grammaire, du lexique et de la rhétorique afin de communiquer avec une parfaite réciprocité. Mais si l'on parle de *correction*, c'est qu'à l'instar du savoir-vivre, le savoir-écrire est aussi **une forme de politesse.**

En effet, écrire correctement, c'est montrer à la fois que l'on admet les règles du langage comme institution collective et que l'on se plie aux mêmes normes sociales que celles qui sont acceptées par le récepteur. À son tour celui-ci, parce qu'il s'efforce de respecter les mêmes règles du jeu, pourra dialoguer.

Voilà pourquoi le maniement de la langue et de la culture ne s'effectue jamais de façon abstraite. Même lorsqu'il s'agit d'une définition de dictionnaire, d'une formule ou d'une recette, c'est un lecteur idéal qui est visé. Ainsi l'étude des *actes du langage* ou *pragmatique* nous enseigne qu'un énoncé correspond soit à un acte **locutoire, illocutoire** ou **perlocutoire**.

Une affirmation, une vérité générale relèvent du premier type. À la deuxième catégorie appartiennent les actes qui engagent la responsabilité de l'émetteur qui les signe, les édicte : un écrit authentique est considéré comme une preuve irréfutable. La troisième catégorie regroupe les actes qui cherchent à obtenir une réaction spécifique de la part de l'interlocuteur.

Le but poursuivi par l'émetteur peut être de faire triompher des idées, de réfuter son adversaire, voire de le convertir, de se disculper, d'expliquer une notion, de donner des ordres ou simplement d'obtenir une bonne note à un examen...

Dans chaque cas on voit que le processus de communication, qui joue sur le style d'un message, concerne en fait deux individus partageant une même culture (un même référentiel) et que l'avantage est à celui qui sait joindre à la justesse des idées la clarté de la langue.

Si le message à transmettre est important, les mots pour le dire le sont encore plus. Voilà encore pourquoi il est souvent nécessaire de récrire un texte dont l'expression est inadéquate ou incorrecte. L'exemple suivant en témoigne : ce sont les prescriptions que l'on donne aux *rewriters*, ces écrivains de l'ombre dont le rôle n'est pas d'inventer mais de mettre en forme un projet élaboré par d'autres.

Conseils pour bien aborder votre texte

Corriger les fautes de frappe, d'orthographe, de grammaire.
Veiller à l'exactitude et à la richesse du vocabulaire.
Supprimer les répétitions.
Corriger les maladresses et lourdeurs de style.
Veiller à la concordance des temps.
Rétablir les liens logiques lorsqu'ils sont absents.
Supprimer tout ce qui est ennuyeux, inutile ou redondant.

Les écueils à éviter

Créer des liaisons trop marquées, qui charpentent le texte à l'excès par des *mais, or, cependant, toutefois, de plus*, etc. Des liaisons plus discrètes suffisent bien souvent.

Assécher le texte par trop d'allègements ou au contraire l'étouffer par des précisions inutiles ou des pléonasmes.

Alourdir le props par une recherche excessive de termes rares ou d'expressions alambiquées.

Bien sûr l'intention esthétique est ici dictée avant tout par des impératifs commerciaux sinon démagogiques. Mais ces mises en garde ont surtout l'intérêt de dévoiler les techniques efficaces pour une communication optimale.

4. COMMENT PARVENIR À UNE EXPRESSION AISÉE ?

Les premières règles à observer consistent à s'interdire les tournures lourdes ou incorrectes, à éviter les pièges que peuvent tendre les difficultés d'une langue particulièrement riche et subtile, enfin à se situer à la place du lecteur en se posant constamment les questions suivantes :

- Moi je me comprends, mais suis-je clair aux yeux de la personne qui doit me lire ?
- La présentation met-elle en valeur les idées directrices ?
- Les mots que j'emploie sont-ils bien choisis ?
- Mes figures de style ne sont-elles pas outrées ?
- Le rythme de mes phrases est-il agréable ?
- Leur enchaînement ainsi que les articulations sont-ils perceptibles ?

L'idéal est de **rédiger un premier brouillon**. La relecture fera apparaître les phrases trop longues, les répétitions, les cacophonies, les ambiguïtés liées à une ponctuation inadéquate. L'usage d'un dictionnaire et d'une grammaire permettra de préciser l'orthographe des mots et la justesse des expressions. Quelle est la graphie correcte de *phantasme ?* Peut-on écrire : *Il est effectif que* ? Pour vérifier si *elles se sont fait attendre* est bien accordé, on recourra à un dictionnaire des difficultés linguistiques, etc.

La simple vision d'ensemble d'une page manuscrite (ou d'un écran d'ordinateur) laisse apparaître d'éventuelles difficultés de lecture. Les paragraphes sont-ils trop nombreux ou au contraire le texte est-il trop dense ? Les alinéas sont-ils légitimes ou bien y a-t-il un retour arbitraire à la ligne à la fin de chaque phrase ? La césure des mots est-elle correcte ? Que convient-il de souligner ?

L'usage d'un traitement de texte et d'un logiciel approprié peuvent faciliter ce travail de repérage et en automatiser une partie. L'écran permet de **visualiser l'organisation de la page** et le correcteur orthographique évitera au moins les principales erreurs d'inattention (coquilles, mots inconnus...). Certains outils plus perfectionnés mettent en garde contre les phrases d'une longueur rébarbative ou traquent les répétitions en proposant des choix de synonymes. Mais plutôt que de corriger en effaçant, sans doute est-il préférable de recopier, le premier jet pouvant s'avérer en définitive le meilleur. Sauvegardons régulièrement nos écrits ou, si nous utilisons un crayon à papier et une gomme, ne passons pas notre temps à effacer d'une main ce que nous tentons d'exprimer de l'autre !

Enfin, un ordinateur sait repérer un mot dysorthographié (*colonnel* par exemple) ou une graphie aberrante (*roge* au lieu de *rogue, ogre, orge* ou *rage*), voire un accord suspect (*les contradiction*). Mais il ne soupçonnera pas de faute si l'on a écrit *contradiction* au lieu de *contraction*. Quant à choisir entre *face hagarde, visage décrépit* ou *figure défaite,* seul l'auteur peut décider. En effet ce choix ne dépend pas de contraintes lexicales ou morphosyntaxiques, il obéit à une intention rhétorique, sémantique ou tout au moins phonique.

En se penchant sur **les brouillons des plus grands écrivains**, la science que l'on appelle la *génétique textuelle* fait apparaître que ceux-ci procèdent moins par ajouts que par suppressions. Travailler le style revient donc souvent à l'alléger en le rendant plus concis, plus fluide, plus ramassé. La redondance, source de lourdeur, et donc d'ennui pour le lecteur, est à proscrire. En revanche, comme nous le rappelle Pascal, les répétitions, lorsqu'elles sont volontaires, et efficientes, ne doivent pas être bannies.

Bref, éviter les fautes les plus grossières, s'assurer que les phrases que l'on produit obéissent au standard de la langue française doivent faire partie de nos préoccupations essentielles. Dans un second temps, il sera possible d'acquérir un style incisif, de rechercher un rythme évocateur ou un ton polémique, de rêver d'une prose musicale et poétique... C'est alors qu'entre en jeu *l'imitation* des maîtres de la littérature : Voltaire, Chateaubriand, Camus ou les grands journalistes contemporains de la presse écrite.

Il est vivement recommandé au néophyte de **s'imprégner de ses lectures** : les auteurs de la Pléiade appelaient cet enrichissement « l'innutrition ». Le lecteur attentif pourra éventuellement s'inspirer de certaines structures stylistiques, des tournures de phrases qui l'auront séduit et qui à leur tour pourront influer favorablement sur le destinataire de ses propres écrits. Certes, l'ambition littéraire appartient à un autre registre et dépend d'une codification personnelle qui peut-être ne s'apprend pas — en dépit du florissant marché des ateliers et des revues d'écriture. Il n'en demeure pas moins vrai que savoir bien écrire ne s'improvise pas. Un apprentissage s'impose : Maupassant fut longtemps l'élève zélé d'un maître exigeant, Flaubert. Combien de fois ce dernier lui fit-il revoir sa copie ! La meilleure école reste la pratique de la lecture et de la réécriture. Rédiger avec aisance passe d'abord par l'*observation* de la clarté des professionnels : critiques, journalistes, traducteurs, essayistes, ou simplement des auteurs que l'on a pris plaisir à lire. Pourquoi ? Précisément parce que loin de nous agacer par son incorrection, leur style nous aura touchés par son élégance.

VINGT EXERCICES GRADUÉS

1. LA PRÉSENTATION

La réception d'un message dépend pour une large part de la qualité de la présentation. Il convient d'utiliser l'espace visuel de la page de la façon la plus esthétique possible, notamment dans le cas d'une lettre. On veillera à ne pas multiplier les alinéas mais on sera attentif au choix des paragraphes. L'utilisation des majuscules et le respect des règles typographiques sont primordiaux.

I. 1. Deux des formulations suivantes comportent une erreur de majuscule. Lesquelles ?

a) le peuple français
b) les *Confessions* de Saint Augustin
c) un Américain à Paris
d) le marquis de Saint-Simon
e) les anglais et les anglophones

2. Un seul h est muet. Lequel ?

a) haricot
b) havre
c) hère
d) hibou
e) hurluberlu

3. En fin de ligne, deux de ces césures de mot seraient incorrectes. Lesquelles ?

a) enchante-ment
b) aphr-odisiaque
c) déréglementat-ion
d) assouplis-sant
e) affran-chir

4. Trois erreurs se sont glissées dans cette liste. Trouvez-les.

a) pensé-je
b) y-a-t-il
c) va-t'en
d) travaille-t'il
e) c'est à dire

II. Faites correspondre le personnage (a), le nom commun (b), le titre de la pièce de Molière (c), celui de l'opéra de Mozart (d), aux quatre entrées suivantes.

5. *Dom Juan*
6. Don Juan
7. *Don Juan*
8. don juan

III. 9. Dans ce titre : *Racine et Shakespeare* **de Stendhal, qui est l'auteur ?**

IV. Rectifiez toutes les incorrections en vous attachant notamment aux titres.

10. Beaudelaire a écrit les correspondances des fleurs du mal.
11. Madame de Bovary est un roman de Flaubert.
12. Je l'ai lu dans l'équipe.
13. Roland Barthès est l'auteur de l'empire des singes.
14. On doit l'Œuvre au nègre à Marguerite Yourcenar.
15. Michelle Foucault a fait l'histoire des folles.

V. Transformez la tabulation suivante en une phrase énumérative.

16. Les éléments constitutifs du romantisme sont :
   - le culte du moi ;
   - le sentiment de la nature ;
   - le mal de vivre.

VI. Comment convient-il de présenter le titre de l'œuvre et la citation ?

17. Nerval introduit Aurélia par la célèbre affirmation le rêve est une seconde vie.
18. Dans Candide, Voltaire fait dire à son personnage : Ô Pangloss, tu n'avais pas deviné cette abomination ! C'en est fait, il faudra qu'à la fin je renonce à ton optimisme, au moment où il est confronté à l'esclave de Surinam.

VII. Récrivez en un seul paragraphe les six alinéas suivants. Ménagez des transitions entre les phrases.

19. On espérait une détente.
Elle ne se confirme pas encore.
Les partenaires se croient antagonistes.
Ils ne font pas de concession.
Ils ne comprennent pas qu'ils sont liés l'un à l'autre.
Leurs projets ne s'opposent pas.

VIII. 20. Subdivisez ce texte en trois paragraphes.
21. Justifiez votre choix.
Le paragraphe est une portion de texte constituée d'une suite de phrases ayant une unité de signification ou de pensée. Le lien qui unit ces phrases est d'ordre thématique. L'alinéa est un paragraphe très court qui peut se réduire à une seule phrase. Celle-ci, isolée du contexte, prend alors un relief particulier. Si l'on

multiplie les alinéas, pour la clarté de la présentation, il faut savoir aussi que c'est au détriment de la cohérence logique : le lien entre les idées s'estompe. À l'inverse, un texte composé d'un unique paragraphe serait trop dense et difficile à lire.

IX. Le texte suivant comporte un seul alinéa.
22. Subdivisez-le de façon logique.
23. Combien de paragraphes obtenez-vous ?

« Maintenant qu'est un peu calmée l'effervescence des esprits, ne peut-on se demander si cette décision de déposer au Panthéon le corps de V. Hugo, décision prise dans un premier transport d'enthousiasme, était vraiment une bonne manière d'honorer l'illustre poète ? Certes les peuples ne font jamais de trop belles funérailles à leurs grands hommes, et celui-là, qui méritait toutes les admirations, méritait aussi toutes les pompes. Mais n'est-ce pas une étrange façon d'honorer un mort que de violer, à peine a-t-il fermé les yeux, ses dernières volontés qui devraient être sacrées pour tous ? N'avait-il pas demandé à être enseveli dans un simple cimetière auprès de ses enfants ? » (D'après Guy de Maupassant, *Chroniques*)

2. LA PONCTUATION

Le rôle de la ponctuation est capital pour une bonne compréhension des messages. On voit facilement tout ce qui peut opposer « *Et il l'épousera* » à « *Et il l'épousera ?* » Dans la pratique la plus courante, l'utilisation de quelques règles élémentaires sera la bienvenue : préférer une ponctuation forte à de simples virgules ; en revanche, ne pas isoler le verbe du sujet ni le verbe et le complément par une virgule.

I. 1. Quelles sont les deux phrases mal ponctuées ?
2. Pourquoi ?
a) Andromaque est l'héroïne éponyme de la pièce de Racine.
b) Phèdre, Bérénice, Junie, font partie du répertoire racinien.
c) Charles, Emma, Homais : voici quelques-uns des personnages du roman de Flaubert, *Madame Bovary.*
d) Jeanne est, avec la plupart des héroïnes de Maupassant un caractère contrasté.
e) Étienne Lantier et Chaval forment un couple de rivaux dans *Germinal.*

3. Dans quelle phrase faut-il supprimer le point d'interrogation ?
a) Il s'interroge : « Que faire ? »
b) Quel sera le résultat des prochaines élections ?
c) On peut se demander quel sera l'avenir du moteur à explosion ?

d) Faudra-t-il y renoncer ?
e) Qu'en penser ?

II. Supprimez les virgules inadéquates.

4. Il demande, à qui il va s'adresser.
5. Six romans, trois cents nouvelles, de nombreuses chroniques, forment l'œuvre, de Guy de Maupassant.
6. Dès les années soixante, la plupart des Nouveaux Romanciers, prennent peu à peu leurs distances, d'avec leur étiquette commune.
7. Pierre de Ronsard, Joachim Du Bellay, Antoine de Baïf, Rémi Belleau, sont les auteurs de la Pléiade les plus connus.
8. La difficulté de ces cours requiert, une assiduité absolue, et un maximum d'attention.

III. Séparez les groupes apposés à l'aide de virgules.

9. Pâris aussi nommé Alexandre, était fils de Priam roi de Troie et d'Hécube.
10. Certains écrivains comme Diderot ou Baudelaire ont aussi été de brillants critiques d'art.
11. Les sonnets qui comportent deux quatrains et deux tercets font partie des poèmes à forme fixe.
12. Claude Lévi-Strauss lui dit ne pas aimer les voyages.

IV. Corrigez la ponctuation des deux phrases suivantes de façon à les rendre cohérentes.

13. La croix grecque à quatre branches égales, elle peut s'inscrire dans un carré.
14. La croix grecque a quatre branches égales elle peut s'inscrire dans un carré.

V. Rétablissez une ponctuation correcte.

15. Les jeunes ont préféré sortir. Tandis que les plus âgés sont restés à la maison.
16. Ce cadeau me fait grand plaisir, je suis heureux. Heureux.
17. J'aime le cinéma, la télévision, les concerts me déplaisent.
18. La fatigue, l'ennui, le dégoût l'ont finalement anéantie, elle a fui dans le sommeil.
19. Les Français sont souvent cartésiens, les Anglais toujours humoristiques.
20. Le symbolisme se meut dans l'imaginaire. Alors que le symbolisme de surcroît se veut irrationnel. (Corrigez aussi la syntaxe)

VI. Utilisez à bon escient les tirets ou les parenthèses.

21. Les stances du *Cid* et « Le lac » de Lamartine autre page d'anthologie ont bercé notre enfance.
22. Aglaé, Euphrosine et Thalie sont les divinités de la beauté qui appartiennent à la suite d'Apollon. Très tôt elles ont été confondues avec Héra Junon pour les Romains, Athéna Minerve et Aphrodite Vénus.
23. Il tiendra la boutique de son beau-père Dufour, quincaillier.
24. Le plagiat Renoir lui-même en fait l'éloge n'est pas déconsidéré par tous les auteurs.
25. L'onomastique étude des noms propres révèle parfois des significations littéraires inattendues.

VII. Ponctuez la phrase suivante.

Au XVIIe s. l'architecture religieuse surtout en Allemagne et en Autriche se réfère essentiellement au baroque et les artistes donnent libre cours à leur fantaisie créatrice

VIII. Ponctuez le texte suivant.

La mise en connexion de terminaux isolés contribuera-t-elle à favoriser une démocratie planétaire atomisera-t-elle encore davantage les individus Ce qui me frappe souligne un consultant c'est que lorsqu'apparaît un média nouveau le même discours idéologique refait surface en effet on peut se rappeler que bien avant les imprimantes l'imprimerie avait déjà ses détracteurs Ainsi était né le mythe de Faust

3. L'ACCENTUATION

Les accents font partie des *signes diacritiques* qui rendent la lecture plus aisée. Tout le monde a pu remarquer qu'un texte écrit en capitales, donc sans accentuation, est plus difficile à déchiffrer qu'un texte écrit dans une écriture courante. Les accents se placent sur certaines voyelles, soit pour rappeler l'étymologie, soit pour noter la prononciation, soit encore pour distinguer des homophones.

I. 1. Quatre mots sont incorrectement accentués. Lesquels ?

a) avénement
b) événement
c) évèque
d) interprête
e) pélerin

2.   Même exercice.

a) règlementer   d) émérite
b) gater   e) déja
c) bâteau

3.   Deux trémas sont erronés. Lesquels ?

a) ambiguïté   d) ambigüe
b) aiguë   e) bienvenuë
c) pointue

II. Récrivez les mots suivants en les accentuant si nécessaire.

4. ethique
5. poeme
6. poetique
7. heterogeneite
8. differenciation
9. obsolete
10. perennite
11. hemophile
12. naitre
13. hativement
14. velleitaire
15. s'exercer à
16. energetique
17. role
18. repression
19. pessimisme
20. disgracieux
21. segregation
22. exegese
23. emmeler
24. perimetre
25. frenetique
26. etrangeté
27. interesser
28. ephemere
29. hotellerie
30. consequemment
31. theatral
32. pole d'activites economiques
33. zone d'education prioritaire
34. remuneration
35. ephemeride
36. evenementielle
37. patre
38. interaction
39. electrotechnicien
40. coma ethylique

III. Mettez les accents adéquats sur les mots en italique.

41.   Là *ou* ils se trouveront *ou* il l'épousera *ou* il lui remboursera ses dettes.

42.   Cette somme *due* sera recouvrable à partir *du* 1er octobre.

43.   Il ne semble pas *a priori* qu'il faille recourir *a* la force sauf s'il y *a* lui-même recours.

44.   Ceux qui ont plus *cru* en eux, leurs bénéfices ont *cru*.
Regardez *la* : vous *la* verrez.

45.   *Voila*, c'est fini ; mais tout *cela* nécessite que l'on s'en souvienne !

IV. Placez les accents circonflexes où et quand il le faut.

46. hospitaliser
47. symptome
48. diplomatique
49. interprete
50. pecheur (à la ligne)

51. tache (travail)
52. piqure
53. batiment
54. fenetre
55. forestier

V. Reprenez le texte suivant en faisant toutes les corrections nécessaires en ce qui concerne la typographie, l'accentuation et la ponctuation.

Rousseau est parfois appele par derision le citoyen Suisse ou le français de Geneve. C'est une façon de rappeler qu'il n'est ni Catholique, ni enracine dans nos traditions seculaires. Par consequent il ne saurait appartenir a notre culture. Mais ces prejuges nationalistes tombent des que l'on veut s'annexer les retombees de sa gloire mondialement reconnue. Le citoyen de Geneve devient alors un auteur francais digne pour ses idees et son style de faire partie de nos grands hommes ; Reconnaissante, la patrie lui ouvre alors, post mortem, les portes du pantheon.

4. L'ORTHOGRAPHE

> Science des ânes pour les uns, patrimoine culturel hautement valorisé pour les autres, l'orthographe ne saurait être négligée. En effet, un texte dysorthographié n'a aucune chance d'être lu avec bienveillance ; il risque au contraire de susciter une attitude de rejet de la part du destinataire, surtout s'il est correcteur ou examinateur !

I. 1.   Corrigez les trois mots dysorthographiés.

a) pillule
b) pululler
c) pilier

d) pillosité
e) pulvérisation

2.   Un seul mot est correctement orthographié. Lequel ?

a) dûdit
b) dûes
c) dû

d) dûe
e) dûs

3.   De ces cinq phrases, deux comportent une erreur. Lesquelles ?

a) C'est la noce des petits-bourgeois.
b) Ce sont des gagnent-petit.
c) Ce sont ses petites-filles.
d) Il n'y a pas de petits profit.
e) Quelle gourmande : elle adore les petits-beurre !

II. Indiquez pour chacun des mots suivants s'il est masculin (M) ou féminin (F). Ex. Astérisque - M.

4. échappatoire
5. apogée
6. écritoire
7. esclandre
8. obélisque
9. mausolée
10. amnistie
11. effluve
12. autoroute
13. apologue
14. épigraphe
15. opprobre

III. Lesquels de ces mots ne s'emploient qu'au pluriel ?

16. arrhes
17. délices
18. auspices
19. augures
20. calendes
21. déboires
22. annales

IV. Quel est le pluriel des noms suivants ?

23. un alibi
24. un scénario
25. un maximum
26. un extra
27. un sketch

V. Rayez les mots erronés.

28. discution / discussion
29. s'intéresser / s'interresser
30. rationnalisme / rationalisme
31. raisonner / raisoner
32. occurrence / ocurrence
33. assonance / assonnance
34. commettre / comettre

VI. Dans chacune de ces listes un mot est mal orthographié. Lequel ?

35. a) annexion	b) action	c) collection	d) flection
36. a) ommission	b) immédiat	c) dommage	d) immonde
37. a) colonne	b) colonnel	c) colonie	d) clone
38. a) psychanalyse	b) spychologue	c) psyché	d) psychiatre
39. a) obsession	b) sécession	c) abolission	d) agression

VII. L'orthographe des mots suivants est-elle correcte ? Oui / Non

40. classicisme
41. sensualisme
42. existentialisme
43. nominalisme
44. anthropomorphisme
45. impressionnisme
46. surréalisme

VIII. *Quoique* ou *quoi … que* ? Choisissez le mot approprié dans les exemples suivants.

47. Elle écrit des nouvelles … elle soit plus attirée par le roman.
48. Je ferai du cinéma … le théâtre me plaise davantage.
49. Je reste sur mes positions … il en pense.
50. … il soit malade il continue à travailler.
51. … il en soit, il faut songer à conclure.
52. Nous ferons notre possible pour l'aider … il arrive.
53. … il arrive en retard, il suit toujours avec intérêt le reste du cours.

IX. *Notre* ou *nôtre* ?

54. Votre maison est mieux tenue que la … .
55. À … avis, il ne faut pas faire uniquement confiance à la chance.
56. C'est là tout ce qu'il nous reste, c'est là tout … bien.
57. Le … n'apparaît pas comme le travail le plus satisfaisant.
58. Réussir est … première ambition.

X. Le tableau ci-après présente quelques-unes des rectifications orthographiques adoptées au J. O. du 8 décembre 1990. Complétez-le à l'aide d'exemples de votre choix.

Ancienne orthographe	Nouvelle orthographe	Autres exemples
vingt-trois	vingt-trois (sans changement)	
cent trois	cent-trois	
un cure-dents	un cure-dent	
des cure-ongle	des cure-ongles	
je céderai	je cèderai	
j'allégerais	j'allègerais	
puissé-je	puissè-je	
aimé-je	aimè-je	
il plaît	il plait	

il se tait	il se tait (sans changement)	
la route	la route (sans changement)	
la voûte	la voute	
il ruisselle il amoncèle	il ruissèle il amoncèle (sans changement)	
elle s'est laissée aller elle s'est laissé appeler	elle s'est laissé aller elle s'est laissé appeler (sans changement)	
des jazzmen	des jazzmans	
des lieder	des lieds	

5. LE BON REGISTRE

> S'adapter au destinataire tout en déterminant avec exactitude la situation de communication suppose que l'on utilise un registre de langue adéquat. Il faut se garder des familiarités ou des tournures vulgaires. À l'inverse, il ne faut pas tomber dans le piège d'une vaine préciosité ou de formules creuses, faussement élégantes : le Ridicule tue, comme nous le rappelle opportunément le film qui porte ce titre !

I. 1.   Laquelle de ces expressions est familière ?
a)   Passer sous les Fourches Caudines
b)   Aller à Canossa
c)   Franchir le Rubicon
d)   Pleurer comme une Madeleine

2.   Une de ces formes est grammaticalement incorrecte. Laquelle ?
a)   la situation s'aggrave   c)   il s'ensuit que
b)   la maladie s'empire   d)   elle ne s'en doutait pas

II. À quel niveau de langue se situe chacun des exemples suivants : (a) oral (ou familier) ; (b) standard (ou courant) ; (c) soutenu (ou emphatique) ? À l'aide de quels indices pouvez-vous justifier votre réponse ?
Ex. Ta tire est bonne pour la casse : (a). Deux mots populaires : « tire » et « casse ».
3. 4. Votre limousine est légèrement endommagée.
5. 6. Quand est-ce que tu reviens ?
7. 8. Un soir, nous allâmes au cinéma.
9. 10. La bagarre, elle a commencé.
11. 12. Quand vous sera-t-il loisible de revenir ?
13. 14. Certains paragraphes peuvent être scindés sur deux pages.
15. 16. Je pouvais pas faire tout ce qu'on me demandait : aller au pain, surveiller les mômes, bosser.
17. 18. La variété des focalisations a une incidence décisive sur l'interprétation du récit.
19. 20. Hier, nous sommes allés au secrétariat.

III. Classez les mots de la liste ci-après.

(a) familier		(b) standard	(c) soutenu
21.	travail	job	tâche
22.	agriculteur	paysan	péquenaud
23.	pioncer	dormir	reposer
24.	manger	se sustenter	bouffer
25.	ouvrage	bouquin	livre
26.	débile	inepte	stupide
27.	cheval	coursier	haridelle
28.	meuf	femme	dame
29.	vélocipède	bicyclette	bécane

IV. Au sein de ces couples de synonymes, soulignez le mot appartenant au registre le plus courant.
30. interdit, prohibé
31. bizarre, insolite
32. archaïque, vieux
33. boucher, combler
34. tour, périple
35. rompre, casser
36. rabaisser, humilier
37. consentement, permission

V. Récrivez ces deux phrases en termes plus simples.
38. Le pronostic de survie est largement compromis.
39. Nous savons difficilement définir les capacités de notre cerveau et il est encore plus difficile de préciser les mécanismes permettant d'aboutir à ces capacités.

VI. Récrivez ce passage dans une langue plus académique.

40. « Dans le monde du travail, la trilogie bébé - bobo - boulot, les hommes l'ignorent. Pour bosser, pour s'imposer, pour « marketer » comme tout le monde, les femmes doivent mettre les bouchées doubles. Mais le jeu en vaut la chandelle. » (J. Alia)

VII. Simplifiez les termes suivants exprimés en « hexagonal ».
Ex. L'ondée - la pluie.

41. expliciter
42. une missive
43. une céphalalgie

44. un opuscule
45. l'évaluation sommative
46. les acteurs du système éducatif

VIII. Traduisez les périphrases suivantes empruntées au langage des Précieuses.

47. le supplément du soleil, ou l'ardent
48. délabyrinther les cheveux
49. le flambeau de la nuit
50. donner dans l'amour permis
51. les perles d'Iris, ou les filles de la douleur et de la joie

IX. Remplacez les expressions lexicalisées par des synonymes admissibles à l'écrit.
Ex. Tomber des nues - être surpris.

52. plier bagage
53. avoir eu vent de
54. ne pas être né de la dernière pluie
55. prendre ombrage de
56. être dans les nuages
57. baisser les bras
58. prêter main forte
59. De *Tartuffe* à *Dom Juan*, Molière a mis de l'eau dans son vin.

X. Récrivez le texte suivant dans une langue décente.

« ... ils ont commencé vers onze heures vingt, ça s'appelait les Foutreries d'Escarpin une histoire compliquée où le larbin fait le pitre tout le temps il veut que son jeune patron se marie et le père ne veut pas à ce que j'ai compris il met des bâtons dans les roues, Escarpin lui fait des entourloupes et il le met dans un sac pour le battre. » (D'après R. Pinget)

XI. Même exercice.

« Tout de suite après ça, j'ai pensé au maréchal des logis Barousse qui venait d'éclater comme l'autre nous l'avait appris. C'était une bonne nouvelle. Tant mieux ! que je pensais tout de suite ainsi : "C'est une bien grande charogne en moins dans le régiment !" Il avait voulu me faire passer au Conseil pour une boîte de conserves. "Chacun sa guerre !" que je me dis. De ce côté là, faut en convenir, de temps en temps, elle avait l'air de servir à quelque chose la guerre ! » (Céline, *Voyage au bout de la nuit*)

6. UNE EXPRESSION JUSTE

Les solécismes sont des fautes de syntaxe, les barbarismes des termes incorrects ou inusités. Pour les Grecs de l'Attique, les habitants de Soles étaient censés manier la langue en commettant beaucoup d'erreurs ; quant aux barbares... ce sont des étrangers. À notre tour, essayons d'utiliser le français sans impropriété ni ingratitude !

I. 1.   Quelle est la forme impropre ?
a)   Ses enfants perpétuent l'œuvre de l'artiste.
b)   Le crime a été perpétré ce matin même.
c)   Elle a été condamnée à une peine à perpétuité.
d)   L'attentat a été perpétué dans la nuit.

2.   Deux formes sont impropres. Lesquelles ?
a)   en pleine air
b)   plein les poches
c)   de plein-pied
d)   le plain-chant
e)   la patiente se plaint

3.   Parmi ces cinq propositions, trois sont admissibles. Lesquelles ?
a)   Il aime la charcuterie. Aussi, il aime les sucreries.
b)   Pour notre démonstration, nous utiliserons les théorèmes suivants.
c)   Je peux donc effectuer une déduction à partir des exemples qui précèdent.
d)   Si ABCD est un parallélogramme, alors c'est un rectangle.
e)   Si ABCD est un rectangle, alors c'est un parallélogramme.

II. Corrigez les erreurs suivantes.

4.   Deux à trois personnes
5.   Malgré qu'il soit malade
6.   Sa mère s'en accapare
7.   Agoniser d'injures
8.   Des produits plus avantageux qu'il y paraît
9.   Hésiter entre deux alternatives
10. Nous, on a été au théâtre

11. Elle est furieuse après toi
12. À ce qu'il paraît que
13. J'ai fait pareil que tout le monde
14. Prendre à parti
15. Une rue passagère
16. Il préfère rester que partir
17. Quoiqu'il est envie
18. Quoi qu'il est malade
19. On se base sur
20. Une anecdote dont on nous rabat les oreilles
21. Il s'en rappelle
22. Retrouver la liberté
23. Infecté de vermine
24. On risque de gagner
25. Solutionner un problème
26. Cela m'a stupéfait
27. Tant qu'à lui
28. Il travaille de trop
29. D'ici lundi
30. Il s'en est guère fallu
31. Réaliser la gravité d'un événement
32. Un récit émotionnant
33. Se trouver en but à
34. Être sur le même pied d'estal

III. Juste (J) ou faux (F) ? Classez les expressions suivantes.

35. Il doit renoncer à ses études malgré qu'il en ait.
36. Sans doute nous ignorons tout des conclusions de cette affaire.
37. Elle a changé de stratégie sans qu'elle ait fait savoir quoi que ce soit.
38. Ainsi continuerons-nous la lecture à partir du second tome.
39. Quelles que soient les erreurs accumulées, vous pouvez garder bon espoir de redresser la situation.
40. Un sonnet comporte généralement deux quatrains et deux tiercés.

IV. Trouvez le (ou les) mots qui conviennent.
Ex. Rendre moins beau (verbe) : *enlaidir, dégrader.*

41. Qui est d'une bêtise insigne (adjectif) :
42. Intervenir d'une manière indiscrète (verbe) :
43. Se dit d'une formule expressive, composée de peu de mots (adjectif) :
44. Démontrer la fausseté de ce qu'un autre a affirmé (verbe) :
45. Pénétration d'esprit, finesse (nom) :
46. Se dit d'une personne qui parle ou écrit trop abondamment (adjectif) :
47. Se dit d'une personne qui parle avec facilité et agrément (adjectif) :
48. Développement étranger au sujet du discours (nom) :
49. Revenir sur sa décision ou sur son jugement (verbe) :
50. Débat contradictoire (nom) :

V. Complétez le texte ci-après en utilisant à bon escient les mots de la liste suivante et en les accordant au besoin (*cothurne, toupet, rhéteur, extravagant, romanesque, évolution, tragique*).

Le théâtre hellénistique : « Les masques prennent une importance considérable, munis d'un ... de cheveux. Les fameux ..., qui symbolisent pour nous la tragédie, (chaussures à haute semelle propres aux acteurs ...) ne se généralisent qu'au IIe s.

À travers Rome toute cette ... conduira au théâtre de la Renaissance. L'aspect ... des sujets est à mettre en relation avec les exercices des ... de l'époque. Les apprentis orateurs devaient en effet développer des situations ... dans leurs exercices, qui ont donné également naissance au genre du roman. » (O. Got, *Le Théâtre antique*)

7. UNE EXPRESSION CORRECTE

Nous sommes heureux de nous adresser à des personnes qui se présentent dans une tenue correcte. De même, nous faisons des efforts de correction lorsque nous abordons autrui. La langue aussi doit être maniée avec *correction* si nous souhaitons établir des contacts harmonieux et intelligibles.

I. 1. Quel est le nom incorrectement orthographié ?
a) l'habitant
b) l'affluant
c) le négociant
d) le patient
e) le fabricant

2. Quel est l'adjectif incorrectement orthographié ?
a) communicant
b) bancaire
c) fatigant
d) négligeant
e) excellent

3. Quelle est la phrase incorrecte ?
a) Si tu te distrayais plus, tu réussirais mieux.
b) Si tu serais admis, tu serais heureux.
c) Si vous vous distrayiez plus, vous réussiriez mieux.
d) Si vous aviez été admis, vous auriez été heureux.

II. Complétez convenablement les phrases suivantes en choisissant entre *or* et *hors.*

4. Tu devais le trouver, ... pour cela, il fallait d'abord que tu le cherches.
5. Il n'y a pas de solution ... celle-ci.
6. 7. ... il aurait été illogique d'abandonner un pays ... duquel il n'était pas agréable de vivre.

III. Remplacez les points de suspension par *quand, quant,* ou *qu'en.*

8.   Visiblement, il ne savait ... penser.

9.   ... à elle, elle préférait ne pas se prononcer.

10. Nous sortirons ... reviendront les beaux jours.

11. Nous sommes toujours déterminés, ... bien même faudrait-il tout recommencer.

IV. Choisissez entre *tout, tous, toute, toutes.*

12. Voilà qui est une ... autre histoire.

13. Bonjour ... le monde !

14. Elles sont ... semblables.

15. ... les dieux sont immortels.

V. Rectifiez les tournures suivantes.

16. Son image saine et sa force vient de faire qu'il apparaît comme un héros.

17. Les conséquences, je me demande quelles sont-elles ?

18. De par son éducation rigide, il est trop réservé.

19. L'auteur argumente son point de vue par de nombreux exemples.

20. Selon la classe sociale que l'on appartient, on a pas les mêmes habitudes.

21. Il est rejeté par ceux de sa caste car il ne leur ressemble pas et qu'il n'a pas la même vision du monde qu'eux.

22. Le conditionnement les obligent à accepter la place qui est la leur dans la société.

VI. Effectuez toutes les transformations qui permettent de récrire en bon français les passages ci-après.

23. En vous remerciant encore, veuillez agréer, Monsieur, l'expression de mon respectueux dévouement.

24. Alors que je marchais sur le trottoir, je me suis fait heurter par une voiture en sortant du garage.

25. L'homme se distingue quand même car malgré qu'il soit le moins spécialisé des animaux, il a encore bien d'autres traits distinctifs.

26. Quant à Jules Romains dans son extrait de *Knock* datant de 1923 présente l'intéressement des médecins à l'argent.

27. En assistant à Lorenzaccio, nous éprouvont les émotions violentes qu'il exprime sur la scène, nous comprenons sa décadence auprès d'Alexandre de Médicis.

VII. Rétablissez une construction correcte.

28. C'est un lieu où il entre et sort beaucoup de monde.
29. En raison des grèves, c'est devenu un aéroport d'où n'atterrissent ni décollent plus aucun avion.
30. Cette vision des choses permet d'éviter bien des critiques et à maintenir un grand confort intellectuel.
31. Grâce à la médecine moderne, on peut faire face aux graves maladies qui étaient considérées comme incurables il y a quelques années et d'accroître l'espérance de vie.

VIII. Utilisez la préposition qui convient.

32. s'engager ... être assidu
33. permettre ... quelqu'un ... partir
34. refuser ... s'avouer battu
35. se refuser ... s'avouer vaincu
36. s'efforcer ... trouver une solution
37. être d'accord ... les juges
38. remédier ... une difficulté

IX. Corrigez ce texte.

Règle d'or de l'achat immobilier, la sélection d'un bon emplacement obéit à nombre de critères, tant en termes de desserte que d'équipements collectifs. Côté transports en commun, le train doit desservir le site. Tandis qu'un nombre important de routes doit assurer le maillage du secteur.

X. Même exercice.

Cette œuvre (*Modeste proposition pour empêcher les enfants des pauvres en Irlande d'être à la charge de leurs parents...*) jusqu'alors considérée comme un pamphlet illustre l'indignation de Swift quant aux conditions misérables faites au bas peuple irlandais et dans laquelle il propose sur le ton le plus sérieux et le plus docte de manger les enfants des pauvres pour que ceux-ci deviennent riches.

8. UNE EXPRESSION CONCISE

La concision ne consiste pas uniquement à supprimer des expressions inutiles. Il s'agit aussi d'alléger le style en recourant aux tournures les plus rapides et les plus élégantes. S'il faut éviter les lourdeurs ou les répétitions, il convient cependant de rester clair et d'exprimer sa pensée avec un maximum de précision. La question à se poser est : « Qu'ai-je voulu dire ? », la réponse : « - Eh bien, je n'ai qu'à le dire simplement. »

I. 1.   Quelle est la définition inexacte ?
a)   Renvoyer aux calendes : ajourner.
b)   Faire amende honorable : demander pardon.
c)   Boire le calice jusqu'à la lie : se désaltérer.
d)   Mettre la dernière main à : parachever.
e)   Passer l'éponge : oublier.

II. Supprimez les mots inutiles de façon à éviter les pléonasmes fautifs.

2.   On peut donc par conséquent parler de préromantisme.
3.   Une voix négative, voire même une abstention, risque de faire échouer ce vote.
4.   Le texte est de facture classique, mais toutefois il annonce une émotion romantique.
5.   En ce temps-là les Français ne formaient alors qu'une population de vingt millions d'habitants.
6.   Petit à petit, l'hygiène et la médecine se sont progressivement améliorées.
7.   Selon moi, personnellement, le classicisme est un sujet vague.
8.   Il est peut-être probable qu'on peut mieux définir la notion.

III. Évitez les répétitions et les maladresses en allant au plus court.
Ex. Cette course fut grandiose, homérique, héroïque. - Cette course fut une épopée.

9.   Souvent, les sportifs de haut niveau vitupèrent, fustigent, dénoncent, ruent dans les brancards.
10.   L'employé peut choisir une mutuelle de son choix.
11.   Pour moi, je pense que le tout-nucléaire est une bonne solution pour l'avenir.
12.   Enfin, on va voir pour finir qu'il vaut mieux revenir à des sources d'énergie traditionnelles.
13.   J'aime beaucoup Michel-Ange, Rembrandt, mais aussi Mozart, Rodin et Le Corbusier.
14.   Le ministre, qui souhaiterait que l'agitation sociale se calme, s'est vu dans l'obligation de suspendre les décrets sociaux qui avaient été prévus.

IV. Modifiez les phrases suivantes de façon à les rendre moins lourdes.

15.   Le nombre d'accidents de la route diminue dû aux mesures qu'on prend de façon draconienne.
16.   Le progrès n'est pas seulement au niveau technique mais aussi au niveau moral.
17.   C'est le fait qu'au départ les deux femmes étaient amies.
18.   Il est visible que cette concurrence n'est pas très grave.

19. Il est vrai que l'on peut se demander après réflexion si ce duel n'était pas un moyen de se rapprocher.

V. Remplacez les subordonnées par un groupe nominal.
Ex. On nous annonce que nous allons décoller d'un instant à l'autre. - On nous annonce un décollage imminent.

20. J'espère que vous me soutiendrez.
21. Certains philosophes croient que l'âme est immortelle.
22. La fréquence des mots appartenant à un même champ lexical nous persuade que le thème est important.
23. 24. Il ne faut pas succomber aux modes qui sont transitoires uniquement sous prétexte qu'elles ont beaucoup de succès.

VI. Récrivez les phrases suivantes en évitant la tendance au charabia.

25. Leur lutte entre-temps a par conséquent eu une petite envergure.
26. On peut comprendre que de par cette hargne, ils soient très motivés car pour ces personnes-là le sport est leur seule et unique ressource pour vivre.
27. La forte signification du mot « enfer » est en fait atténuée dans ce passage car d'abord il a un côté imagé, et ensuite il est incorporé dans une figure qui le compare.
28. Descartes, grand auteur philosophique, nous a explicitement livré l'une de ses grandes théories cartésiennes dans *Le Discours de la méthode* par qui il est mondialement connu.

VII. Faites toutes les corrections qui permettront d'améliorer la façon de s'exprimer que Proust prête à l'un de ses personnages.

« J'admire toujours les gens qui font des projets ; je me décommande souvent au dernier moment. Il y a une question de robe d'été qui peut changer les choses. J'agirai sous l'inspiration du moment. »

VIII. Même exercice. Il s'agit ici de la conception de l'art selon Pellerin, un des personnages de *L'Éducation sentimentale*.

« Voilà les tableaux de Bassolier, par exemple : c'est joli, coquet, propret, et pas lourd ! Ça peut se mettre dans la poche, se prendre en voyage ! Les notaires achètent ça vingt mille francs ; il y a pour trois sous d'idée ; mais sans l'idée, rien de grand ! sans grandeur, pas de beau ! L'Olympe est une montagne ! Le plus crâne monument, ce sera toujours les Pyramides. Mieux vaut l'exubérance que le goût, le désert qu'un trottoir, et un sauvage qu'un coiffeur ! » (Flaubert)

9. UNE EXPRESSION CLAIRE

Comment mettre en pratique l'adage exprimé par Boileau dans son *Art poétique* (1678) : « Ce que l'on conçoit bien s'énonce clairement » ? Il est possible, au brouillon, de faire des phrases courtes, indépendantes, qui ne s'embarrassent pas de lourdes réticences ou de circonlocutions inutiles. Il s'agira ensuite d'établir la cohérence de l'ensemble du texte en s'assurant que la liaison thématique est perceptible : la ponctuation, les transitions, la mise en page jouent alors un rôle très important. Des réponses brèves à des questions précises ou des définitions succinctes constituent de bons exercices d'entraînement.

I. 1.   Quelle est la phrase exprimant le sens implicite du verbe *se douter* dans la proposition suivante : « Je me doute que Paul viendra » ?
a)   Paul viendra effectivement.
b)   Paul a un empêchement.
c)   Paul ne souhaite pas venir.
d)   Il y a peu de chances que Paul vienne.
e)   Paul ne viendra pas.

2.   Qu'est-ce qu'un *impertinent* ?
a)   quelqu'un qui s'agite hors de propos
b)   un imprudent
c)   un analphabète
d)   un rêveur
e)   un individu d'une grande impolitesse

II. 3.   Choisissez la réponse qui vous paraît la plus adéquate : Qu'est-ce qui caractérise Zola ?
a)   Le réalisme.
b)   Zola mélange les descriptions détaillées et l'excès dans la vision des malheurs du peuple.
c)   La principale caractéristique de Zola est le naturalisme.

4.   Même exercice. Qu'est-ce que l'humanisme ?
a)   Apparu à la Renaissance, l'humanisme est un mouvement philosophique qui place le bien être matériel et la dignité morale de l'homme au centre de ses préoccupations.
b)   Se préoccuper de l'homme.
c)   C'est le fait d'aider ceux qui sont dans la misère et aussi d'apporter le réconfort.

5. Même exercice. Qu'est-ce que la cybernétique ?
a) C'est une région virtuelle sur les sites www.
b) La cybernétique est la science qui étudie et gère les mécanismes de communication automatisés.
c) Elle se rapproche du « net » car il y a les mêmes lettres que dans Internet.

III. À quels mouvements littéraires correspond chacune des définitions suivantes ?

6. Il se caractérise par le respect de l'ordre et l'imitation des modèles antiques.
7. Volontiers original et provocateur il exalte le culte du moi et le sentiment de la nature.
8. Multipliant métaphores et comparaisons, il tisse des liens entre le monde matériel et l'existence d'un monde surnaturel qu'il reflète.

IV. À votre tour, définissez en une phrase :

9. le surréalisme
10. l'esprit des Lumières
11. la Pléiade

V. La formulation suivante est ambiguë. Proposez deux façons de lever l'ambiguïté.

12. 13. La crainte du père :

VI. Même exercice en plaçant la particule négative à l'endroit opportun.

14. 15. La maîtrise de la gestuologie peut apporter beaucoup à la communication. Cependant ce savoir *peut être* détenu que par un certain nombre de personnes.

VII. Que change la présence de l'accent aigu ?

16. Le président censure.
17. Le président censuré.

VIII. Que change la virgule ?

18. Il n'est pas mort comme on le dit.
19. Il n'est pas mort, comme on le dit.

IX. Repérez et supprimez l'ambiguïté de la phrase suivante.

20. D'après Renan, le peuple a tout intérêt à favoriser une élite scientifique puisqu'elle agrandit le cercle des connaissances humaines.

X. Tout en gardant le sens général de cette tirade et la métaphore que tente de filer Thomas Diafoirus pour séduire Angélique, aidez-le à formuler sa demande en mariage sans tomber dans l'amphigouri.

« Mademoiselle, ne plus ne moins que la statue de Memmon rendait un son harmonieux lorsqu'elle venait à être éclairée des rayons du soleil, tout de même me sens-je animé d'un doux transport à l'apparition du soleil de vos beautés ; et, comme les naturalistes remarquent que la fleur nommée héliotrope tourne sans cesse vers cet astre du jour, aussi mon cœur dores-en-avant tournera-t-il toujours vers les astres resplendissants de vos yeux adorables, ainsi que vers son pôle unique. Souffrez donc, mademoiselle, que j'appende aujourd'hui à l'autel de vos charmes l'offrande de ce cœur qui ne respire et n'ambitionne autre gloire que d'être toute sa vie, mademoiselle, votre très humble, très obéissant et très fidèle serviteur et mari. » (Molière, *Le Malade imaginaire*, II, 5)

10. UNE EXPRESSION VARIÉE

L'expression peut être correcte et même claire sans pour autant flatter l'œil ni l'oreille : la lecture de phrases dont la structure syntaxique est répétitive devient vite monotone. Pour éviter cet écueil, apprenons à varier la façon de formuler nos idées.

I. 1.   Quelle est la formule de lettre syntaxiquement incorrecte ?
a)   Votre annonce ayant retenu mon attention…
b)   En réponse à votre publicité…
c)   Ensuite à votre parution…
d)   Intéressé par votre annonce, j'ai l'honneur de…

II. 2.   Quel est l'adjectif donnant la nuance de « mon avis » dans la phrase : « Ne me demandez pas mon avis, sinon je le donnerai » ?
a)   indifférent
b)   défavorable
c)   incertain
d)   favorable

III. Transformez les phrases suivantes en inversant le sujet et le complément.
Ex. Le divertissement nous délasse des peines du travail. - Les peines du travail sont compensées par le divertissement.

3.   L'outil prolonge la main.
4.   Le classicisme reprend les thèmes de la Renaissance.
5.   Le voyage et l'exotisme fournissent la plupart des images de nos rêves.

IV. Remplacez la tournure passive par la voix active.

6. Je fus sauvé par mon grand-père.

7. La reproduction sexuée est mise en péril par le clonage.

8. L'engagement politique et le militantisme moral sont dénoncés par les nostalgiques de l'Art pour l'art.

V. Exprimez la même idée sans employer la 1ère personne.
Ex. Je n'aime pas cette attitude. - Cette attitude ne semble pas estimable.

9. Face à cette hypothèse, je ne peux m'empêcher de rêver.

10. Nous sommes sceptiques et cela se justifie.

11. Je vais vous en faire ensuite la démonstration de façon irréfutable avec des exemples.

VI. 12. 13. 14. Récrivez la phrase suivante en utilisant tour à tour : *selon M ; comme en témoigne M ; aux dires de M il paraîtrait que.*

M est convaincu que le bruit est la plus grande des pollutions urbaines.

VII. Rétablissez l'ordre syntaxique habituel dans les deux phrases suivantes.

15. D'un profond sens politique, l'Empereur fait montre même dans le domaine architectural. 16. Ses idées révolutionnaires et novatrices, il sait les habiller d'un style traditionnel.

VIII. Changez de place l'adjectif ou le syntagme antéposé.

17. Incroyant, il respecte cependant ceux qui ont la foi.

18. Singe savant, l'enfant bien dressé s'efforce de plaire aux adultes.

19. « Vermine stupéfaite, sans foi, sans loi, sans raison ni fin, je m'évadais dans la comédie familiale. » (Sartre)

IX. Allégez les phrases ci-après en substituant notamment au verbe *dire* une formulation appropriée.

20. Zola nous dit que les ouvriers souffrent de ce que leur font subir les patrons.

21. Le texte dit que l'homme au fond n'est qu'un animal.

22. Elle dit qu'il ne pense jamais aux autres et elle lui en fait le reproche.

23. Il dit à tous ceux qui veulent l'entendre qu'il n'est pas coupable.

X. Condensez les phrases suivantes en une seule.

24. Nous avons étudié l'algèbre. Nous avons travaillé aussi la géométrie. Le professeur nous a fait faire des exercices. Il ne reste rien d'inconnu.

25. Remplacez les phrases suivantes par deux propositions opposées.

Il déteste le hand. Il abhorre le basket. Il exècre le foot. Il ne peut pas supporter le rugby. Il aime beaucoup la gymnastique.

XI. Réduisez chacun des deux jugements qui suivent à un syntagme nominal.
Ex. Toute personne qui enfreindra la loi pourra recevoir une amende. - Interdit sous peine d'amende.

26. P est toujours à l'heure. Il n'est jamais absent. Il écoute avec sérieux. Il travaille régulièrement. Il est motivé : cet élève est donc méritant et on doit lui être favorable.
27. Molière nous fait rire. Molière est toujours d'actualité. Il fait la satire de ses contemporains. C'est un auteur classique. Il est aussi un auteur moderne. Il fait la critique de l'homme en général.

XII. Récrivez ce passage en le subdivisant (plusieurs solutions sont possibles).

« Domitien, que ses actions avaient fini par rendre exécrable, que sa volonté d'être l'objet d'un culte divin de son vivant avait fait abhorrer de son entourage et dont les cruelles répressions des complots dirigés contre sa personne lui avaient aliéné l'appui des sénateurs qu'il avait décimés, poursuivait une transformation de la fonction impériale qu'il voulait de plus en plus proche de celle des souverains orientaux. » (H. Stierlin, *Hadrien*)

XIII. Même exercice.

« Nous montrerons que la formation d'une telle langue, si elle se borne à exprimer des propositions simples, précises, comme celles qui forment le système d'une science, ou de la pratique d'un art, ne serait rien moins qu'une idée chimérique ; que l'exécution même en serait déjà facile pour un grand nombre d'objets ; que l'obstacle le plus réel qui l'empêcherait de l'étendre à d'autres serait la nécessité un peu humiliante de reconnaître combien peu nous avons d'idées précises, de notions bien déterminées, bien convenues entre les esprits. » (Condorcet, *La Langue universelle*)

11. LE MOT PROPRE

Le mot « synonyme » n'est pas français, se plaît-on à dire. De fait, chaque terme implique une nuance spécifique. Efforçons-nous donc de rechercher l'expression la plus précise, en évitant surtout les mots passe-partout tels que *être, faire, dire, avoir, pouvoir*...

I. 1.   Trois expressions sont impropres. Lesquelles ?

a) un pauvre hère	d) l'erre du temps
b) une aire de jeux	e) l'aire primaire
c) un ère de musique	

2.   Quelle est la définition inexacte ?

a)   scabreux : rude, peu recommandable au plan moral
b)   catéchèse : instruction religieuse
c)   avoir voix au chapitre : avoir son mot à dire
d)   équarrir : rendre carré
e)   faire un four : obtenir un accueil chaleureux

II. Remplacez le mot en italique par un terme plus précis.

3.   4.   La charité est une *chose* aussi utile pour celui qui en est le bénéficiaire que pour celui qui la *fait*.
5.   Il rassemblait les différentes *choses* nécessaires à la préparation d'un gâteau d'anniversaire.
6.   7.   La pièce de Molière, « Dom Juan », n'*est* pas forcément une comédie : les *gens* peuvent rire mais aussi s'émouvoir selon les représentations.
8.   Les *personnes* qui aiment l'art se plaignent à juste titre de la dispersion de notre patrimoine culturel.
9.   10.   Les pleurs de la vedette lorsqu'elle a *eu* sa récompense officielle ont beaucoup ému le public. *Cela* aura sans doute une répercussion commerciale.
11.   12.   Il est trop timide pour *être* enthousiaste. Mais *cela est quand même* maladroit.
13.   Il *n'a* pas une très bonne réputation.
14.   15.   16.   Les châteaux de la Loire *n'ont* pas tous le même intérêt. Certains *ont* une valeur esthétique. D'autres *sont* plutôt un témoignage historique.
17.   *Dites*-moi ce qu'il faut faire.
18.   19.   Il *met* l'argent à la banque et ne *dit* mot à personne de ses transactions.

III. À partir de la liste ci-après, trouvez le mot qui convient pour compléter les phrases suivantes. Faites les accords convenables.
Noms et adjectifs : **prototype, propice, tribut, corporatisme, oisiveté**
Verbes : **poursuivre, instaurer, aliéner, compromettre, prédire**

20.   21.   « Dénoncer les conditions qui … l'ouvrier de l'ère industrielle, voilà qui est admirable, mais projeter ces conditions dans l'avenir et … en conséquence la mort de l'individualisme, c'est tout simplement rabâcher des idées toutes faites et dangereuses. » (A. Toffler, *Le Choc du futur*)
22.   23.   « J'ai longtemps cru que le rêve qui … toute leur vie les anciens étudiants, le rêve de l'examen (on vous pose une question que vous ne comprenez

pas sur un sujet dont vous ignorez tout) était le ... de la situation angoissante. »
(C. Roy *in* « Télérama »)

24. 25. « L'ouvrier manuel ne réussit même pas à tuer le temps. Son ... morose aboutit à une apathie qui ... ce qui lui reste d'équilibre physique et moral. » (S. de Beauvoir, *La Vieillesse*)

26. 27. La société française paie son ... à la crise en suscitant des exclus de plus en plus nombreux et de moins en moins visibles. C'est le solde inavouable des ... et des rigidités. » (A. Minc, *La Machine égalitaire*)

28. 29. « L'état de disponibilité qu'... une escale crée une attitude ambiguë ... à la suspension des contrôles les plus habituels et à la libération presque rituelle de la prodigalité. » (C. Lévi-Strauss, *Tristes Tropiques*)

IV. Choisissez le mot approprié pour désigner :

30. un vacarme assourdissant :
    a) bruit   b) fracas   c) crépitement

31. un raisonnement trompeur :
    a) faux   b) menteur   c) insidieux

32. un homme instruit :
    a) savant   b) intelligent   c) habile

33. un récit autobiographique :
    a) mémoires   b) chroniques   c) annales

34. une lumière ténue :
    a) éblouissement b) lueur   c) éclat

Ex. Une tenue négligée :
    a) un habit   b) un accoutrement   c) un vêtement
- Réponse : b).

V. Comment appelle-t-on le fait de

35. rire méchamment de quelqu'un :
36. suivre les coutumes :
37. refuser la réalité :
38. ne pas prendre parti :
39. veiller à tout :
Ex. Se déplacer rapidement. - la vélocité.

VI. Complétez le texte suivant à l'aide des noms *croyance, superstition, dogme, anticléricalisme*. Faites les accords et utilisez les articles qui conviennent.

Déisme : « La critique de la religion, de ses institutions et de ses ..., l'... virulent pourfendant les églises ainsi que les vices et les ridicules des prêtres, s'accompagnent chez Voltaire d'une ... en Dieu. "Je meurs en adorant Dieu, en aimant mes amis, en ne haïssant pas mes ennemis et en détestant la ...", déclare l'écrivain avant de mourir. » (F. Evrard, *Le Voltaire portatif*)

VII. Essayez de trouver les verbes adéquats pour compléter l'extrait suivant.

« Les concurrents rivalisent et ... d'efforts sur les cendrées ; massée sur les gradins, debout, la foule de leurs camarades les ... ou les conspue ; les Officiels sont assis dans les Tribunes et un même esprit les anime, un même combat les ..., une même exaltation les traverse. » (G. Perec, *W ou le Souvenir d'enfance*)

12. LES FAUX AMIS

> De nombreux termes offrent la particularité, tout en s'éloignant par le sens, de se ressembler sur le plan phonétique ou graphique. Il s'agit de *paronymes*. Il faut être vigilant et les employer à bon escient : il sera alors possible, tout en évitant les impropriétés, de créer des rapprochements féconds, appelés *paronomases* (*solitaire* ou *solidaire* par exemple à la fin de *Jonas ou l'artiste au travail*, de Camus).

I.1. Que désigne le mot *expédient* ?
a)   une erreur judiciaire
b)   un remède
c)   un courrier
d)   un moyen pour arriver à une fin

2. Quelle est la phrase comportant une impropriété ?
a)   Suis-je sensé le savoir ?
b)   Nous sommes tous censés connaître la loi.
c)   C'est une femme sensée.
d)   Le suffrage censitaire est aboli.

3. L'étude des volcans s'appelle :
a)   la vulcanisation   c)   la volcanologie
b)   la vulcanographie   d)   la vulgarisation

II. Cherchez deux noms différents correspondant à chacun des verbes suivants. Donnez leur sens.
Ex. Affecter a) affectation : destination ; b) affection : sentiment.

4. 5.   accepter   10. 11. requérir
6. 7.   amender   12. 13. intéresser
8. 9.   renoncer

III. Choisissez, en l'accordant, le mot qui convient pour compléter chacune des phrases suivantes.

Ex. Auspice / Hospice - Nous nous plaçons sous les ... du fondateur de la linguistique : auspices.

14. Le Ciel n'a pas ... nos prières (exhausser / exaucer).
15. Accusé de ... il fut condamné par le tribunal (luxure / luxe).
16. L'intransigeance des ... dépasse parfois celle de leurs maîtres (discipline / disciple).
17. Le style ... convient parfaitement à ceux qui se destinent à parler devant un large public (oratoire / auditoire).
18. Cette lettre est déposée à l'... du chef de service (attention / intention).
19. De nombreuses ... apparaissent dans les bâtiments mal entretenus (dégradation / déprédation).
20. Attenter aux valeurs républicaines est considéré comme un ... (sortilège / sacrilège).
21. La guerre a commencé dans une ... de sang (effusion / infusion).
22. La dissolution de l'Assemblée est apparue à certains comme ... (importune / inopportune).
23. Les progrès qui ont ... à la neurochirurgie sont parfois considérés comme potentiellement dangereux (attrait / trait).
24. La poésie de Verlaine est ... d'un charme suranné (empreinte / emprunte).

IV. Utilisez dans une phrase chacun des verbes suivants.

25. prévaloir	26. prélever
27. exhaler	28. exalter
29. proscrire	30. prescrire

V. Dans chaque couple, une seule forme est correcte. Laquelle ?

31. a) aéropage	b) aréopage
32. a) caparaçon	b) carapaçon
33. a) anthropie	b) entropie
34. a) sépulcure	b) sépulture
35. a) castre	b) caste
36. a) omnibulé	b) obnubilé

VI. Proposez une anagramme pour chacun des mots suivants.
Ex. Mariage - mirage.

37. rets	40. génie
38. malice	41. image
39. avec	

VII. Cherchez un paronyme. Ex. mensonge - message.

42. suggestif   45. conjecture
43. services   46. prospective
44. allocation

VIII. Remplacez les mots en italique par le paronyme qui convient. Vous corrigerez ainsi la façon dont s'exprime le directeur de l'Hôtel de Cabourg dans *À la recherche du temps perdu*.

« Il m'apprit avec beaucoup de tristesse la mort du bâtonnier de Cherbourg : "C'était un vieux *routinier*", dit-il, et me laissa entendre que sa fin avait été avancée par une vie de *déboires*. "Déjà depuis quelque temps je remarquais qu'après le dîner il *s'accroupissait* dans le salon. Les derniers temps, il était tellement changé que, si l'on n'avait pas su que c'était lui, à le voir il était à peine *reconnaissant*". » (D'après Marcel Proust)

13. L'ACCORD

Les problèmes d'accord concernent au premier chef les verbes conjugués avec *avoir* et les verbes pronominaux avec *être*. Mais il ne faut pas oublier les difficultés que posent les sujets, notamment lorsqu'ils sont inversés, ainsi que les adjectifs quelle que soit leur position.

l.1. Ces participes sont tous correctement accordés, sauf un. Lequel ?
a) les reines qui se sont suivies   d) le livre qu'elle t'a prêté
b) les reines qui se sont succédé   e) les risques qu'elles ont prises
c) les pièces que l'on a jouées

2.   Ces phrases comportent toutes une incorrection, sauf une. Laquelle ?
a) Les vases communicant étaient bien visibles.
b) Communiquant toute leur énergie aux troupes, les généraux étaient dignes de leur fonction.
c) Les fabricants étaient accusés d'être aussi des trafiquant.
d) C'était une femme fatigant pour son auditoire.
e) Employée négligent, elle ne pouvait conserver notre estime.

3.   Deux accords sont fautifs : repérez-les.
a) ci-joint les photocopies   d) une demi-heure
b) vue la conjoncture   e) marché conclus
c) les enveloppes ci-jointes

II. Dans les phrases suivantes, relevez le sujet réel et le sujet apparent.

4. Ce matin, il est arrivé deux colis et trois lettres.
5. Il manque deux cartes.
6. Il est interdit de franchir la ligne blanche.
7. Dans l'air froid, il s'élevait des naseaux du cheval deux petits nuages de vapeur blanche.

III. Transformez les phrases ci-dessus de façon à obtenir un seul sujet grammatical.
Ex. Il tombe une pluie très fine. - Une pluie très fine ne cesse de tomber.

8. 9. 10. 11.

IV. Mettez à la forme voulue les participes des verbes indiqués entre parenthèses. Ex. *Ci-joint* la lettre que vous m'avez *demandée ;* vous m'avez *demandé* la lettre *ci-jointe.*

12. (Voir) la pluie incessante, les vendanges seront (retarder).
13. Nous sommes (partir) tous les six. À l'arrivée nous n'étions plus que quatre, ma sœur (comprendre), nos grands-parents nous ayant (quitter) en route.
14. Le chapeau qu'elle s'est (acheter) lui va très bien. Son ami lui a (offrir) la robe dont elle s'était (éprendre).
15. Les catastrophes qui se sont (enchaîner) ont (décourager) tous les membres du groupe.
16. Elles se sont (féliciter) du modeste appartement qu'elles ont (louer) à proximité de la mer.
17. C'est un de ces grands problèmes dont la télévision s'était beaucoup (préoccuper) l'an dernier.

V. Indiquez d'une croix dans la colonne voulue si les formes verbales construites avec l'auxiliaire *être* indiquent un verbe transitif à la voix passive ou un verbe intransitif à la voix active.

	V. A.	V. P.
18. Au XIXe s. de nombreux écrivains sont partis pour l'Orient.		
19. Le rôle de Tartuffe était tenu par Molière.		
20. *L'Ingénu* a été écrit par Voltaire.		
21. Tous les condamnés furent graciés.		
22. Où êtes-vous partis par ce beau soleil ?		
23. Les représentants du peuple seront reçus à l'Assemblée Nationale.		

VI. Utilisez le verbe *rédiger* à la forme qui convient.

24. Cette jeune fille, je l'ai vu … son devoir toute seule.
25. Il a … un texte.
26. … ce devoir !
27. Ne pas … est un handicap.
28. Que … vous ?
29. La dissertation qu'il a … est très intéressante.
30. Il a un article à … .

VII. Accordez les adjectifs en italique.

31. Il les a trouvées *formidable*.
32. *Enorgueilli* par notre succès nous avons tenté de réitérer nos exploits.
33. Les hommes sont en smokings *noir*.
34. Ils sont tous *uniforme*.
35. Les femmes portent des tenues *extravagant*.
36. Chacune est *différente* de celle des autres.
37. Pierre a les yeux *bleu*.
38. Justine a les yeux *marron*.
39. 40. Il les a *bleu* ; elle les a *marron*.
41. 42. Leurs enfants les auront-ils *bleu* ou *marron* ?

VIII. Rétablissez les accords corrects dans les phrases suivantes, volontairement dysorthographiées.

43. « On a vu que dès la maternelle, garçon et fille étaient enclin à jouer avec des enfants de même sexe. Cette tendance aux regroupement sexuel s'accentue vers six-sept ans jusqu'à l'adolescence et créent des sous-culture bien différentes. » (E. Badinter, *De l'identité masculine*)
44. « Il n'est pas nécessaire d'être diplômés de Harvard pour constater que les hommes sortent des usines, des bureau, ou des magasins, à mesure qu'y entre les machines. » (P. Boucher)
45. « L'élitisme reste l'ennemie, mais la signification du mot s'est subrepticement inversé. Aujourd'hui les livrent de Flaubert rejoignent, dans la sphère pacifiée du loisirs, les romans, les séries télévisées et les films à l'eau de rose dont s'enivre les incarnations contemporaines d'Emma Bovary. » (A. Finkielkraut, *La Défaite de la pensée*)

14. LES TEMPS VERBAUX

> Plusieurs incorrections faciles à déjouer se rencontrent fréquemment. Il faut éviter les confusions entre les formes verbales que l'orthographe permet de distinguer. Les erreurs de désinence des temps verbaux et des participes peuvent la plupart du temps se rectifier grâce à la réflexion ou à l'alignement sur des modèles connus.

I.1. Quelle est la conjugaison fautive ?
a) vous vous contredites
b) nous acquerrons de l'estime
c) elles étaient contrefaites
d) il dépeint une situation nouvelle
e) geindrais-tu sous l'effort ?

2. Même question.
a) parlez-en
b) prends garde à toi
c) ne m'abandonne pas
d) regardes-toi
e) tais-toi

3. L'orthographe permet de distinguer participe présent et adjectif verbal sauf dans un cas. Lequel ?
a) fatiguant / fatigant
b) communiquant / communicant
c) négligeant / négligent
d) obligeant / obligent
e) suffoquant / suffocant

II. Dans les phrases qui suivent, indiquez si les verbes en italique sont au passé composé ou au présent passif.

4. Il *est descendu* sur un brancard.
5. Il *est passé* par là.
6. Il *est édité* par une petite imprimerie.
7. Nous *sommes retournés* sur les lieux de l'accident.
8. Nous *sommes bouleversés* par l'annonce de cette nouvelle.
9. Il *a* bien *descendu* les marches du palais.
10. La leçon *a porté* ses fruits.

III. Trouvez à quelle conjugaison appartiennent les verbes ci-après.
Ex. Souscrire - 3e.

11. déduire
12. requérir
13. solliciter
14. accomplir
15. construire
16. débattre
17. accroître
18. enchérir
19. polémiquer
20. distraire

IV. Conjuguez les verbes suivants à la forme demandée.

21. dire : impératif prést, 2e pers. du pluriel
22. médire : futur simple, 1re pers. du pluriel
23. maudire : indic. prést, 1re pers. du sing.
24. se plaindre : indic. prést, 3e pers. du sing.
25. absoudre : inf. prést passif
26. rédiger : indic. futur antérieur, passif, 3e pers. du plur.
27. exaucer : subj. prést, 2e pers. du sing.
28. se hausser : cond. prést, 3e pers. du sing.
29. finir : indic. passé antérieur, 1re pers. du sing.
30. se prévaloir : indic. futur, 3e pers. du pluriel

V. Retrouvez à quelle forme sont conjugués les verbes suivants.

31. nous terminâmes
32. vous vous déterminerez
33. tu auras bâti
34. vous eussiez préféré
35. avoir été trompé
36. j'amenderais
37. elle aurait voulu
38. il fut saisi
39. vous aurez renoué
40. elles ont été surprises

VI. Mettez au féminin le participe passé passif des verbes suivants.

41. conclure
42. dissoudre
43. confondre
44. exclure
45. inclure
46. acquitter
47. acquérir
48. séduire

VII. Récrivez au passé le texte suivant.

Tout à coup La Marseillaise retentit. Hussonnet et Frédéric se penchent sur la rampe. C'est le peuple. Il se précipite dans l'escalier, en secouant à flots vertigineux des têtes nues, des casques, des bonnets rouges, des baïonnettes et des épaules, si impétueusement que des gens disparaissent dans cette masse grouillante qui monte toujours, comme un fleuve refoulé par une marée d'équinoxe. En haut, elle se répand, et le chant tombe. (D'après Flaubert, *L'Éducation sentimentale*)

VIII. Mettez les verbes en italique à la forme voulue.

Voici au bout de la rue la haute silhouette d'une colonne dorique, (*flanquer* : part. présent) la rotonde de la Bourse de commerce. Elle (*relier* : indic. impft) autrefois au ciel l'hôtel que Catherine de Médicis (*demander* : indic. plus que parft) à Jean Bullant de lui (*bâtir* : inf. prést), après qu'elle (*déserter* : indic. passé antérieur) les Tuileries... En 1750, la municipalité parisienne (*accomplir* : indic passé simple) l'un des premiers gestes de sauvegarde du patrimoine en (*épargner* : part. prést) la pioche à ce vestige étrange et poétique. On (*dire* : indic. pst) que Ruggieri, l'astrologue florentin, (*gravir* : cond. passé 1re forme) chaque nuit l'escalier à vis (*cacher* : p.p.p.) dans cette colonne astrologique pour (*contempler* : inf. prést) les étoiles, (*déchiffrer* : inf. prést), dans ces « froides sympathies » qui (*participer* : cond. prést) aux erreurs et aux victoires humaines, le sort des Valois. (D'après *Paris-Musées*)

15. LES PRONOMS RELATIFS

Le pronom relatif sert à introduire une subordonnée. Celle-ci précise le sens d'un nom, l'antécédent. Le verbe de la subordonnée relative se met à l'indicatif ou au subjonctif suivant les nuances. Si *qui* est le pronom le plus usité, il ne faut pas oublier les autres relatifs, variables ou non : *que, quoi, dont, où, lequel*, etc.

I. 1.　Quelle est la formulation erronée ?
a)　un sujet dont on ignore tout
b)　une personne dont on connaît les compétences
c)　le film dont on présente son réalisateur
d)　l'artiste dont la vie est inséparable de l'œuvre
e)　les conseillers dont il s'est entouré

2.　Deux expressions sont incorrectes. Lesquelles ?
a)　C'est à lui à qui nous faisions allusion.
b)　Où que nous tournions nos regards c'est partout la même désolation.
c)　C'est la seule hypothèse à laquelle nous n'avions pas songé.
d)　Voici le patron auprès de lequel je suis délégué.
e)　Il existe certaines voies hors desquelles il n'y aurait point de salut.

II. Justifiez l'emploi du mode et de la personne du verbe dans les propositions relatives.
3.　Le premier qui les *vit* éclata de rire.
4.　Il n'y a que vous deux qui *soyez* attentifs.
5.　Je suis le seul qui *aie pu* résoudre cette énigme.
6.　Nous, qui *sommes* sûrs de ce que nous avançons, pouvons en faire une démonstration irréfutable.

III. Employez le pronom relatif qui convient.

7. Les faits ... vous révélez sont accablants.
8. C'est de ... nous allons nous entretenir.
9. Il aurait concouru à l'établissement d'une paix ... on espère durable.
10. Il avait concouru à l'établissement d'une paix ... on peut espérer qu'elle sera durable.
11. Le traitement de texte à l'aide ... j'écris est très pratique.
12. Le traitement de texte ... je me sers est très pratique.
13. La ville ... j'habite comporte un quartier résidentiel.
14. C'est là ... je demeure.
15. Il se réfère à une règle bien connue d'après ... nul n'est censé ignorer la loi.
16. Demandez au dictionnaire automatique de vérifier les mots de l'orthographe ... vous n'êtes pas sûrs.

IV. Quelle est la fonction de chacune des relatives suivantes ?

17. Les élèves, qui travaillent, réussissent.
18. Les élèves qui travaillent réussissent.
19. Les personnes dont les noms suivent seront examinées.
20. Ces personnes, dont le nom se suffit à lui-seul, jouissent d'un préjugé favorable.

V. Comparez les deux phrases suivantes.
21. Relevez les pronoms relatifs et leur antécédent.
22. Quelle différence de sens introduit la seconde tournure ?

a)   Il y a une édition pirate de mon disque, qui doit paraître ces jours-ci.
b)   Il y a une édition pirate de mon disque, laquelle doit paraître ces jours-ci.

VI. 23. 24. Même exercice.
a)   Il faut que chacun sache qu'il existe un arbitre du sort des humains dont nous sommes tous les enfants.
b)   Il faut que chacun sache qu'il existe un arbitre du sort des humains, duquel nous sommes tous les enfants.

VII. Corrigez les expressions suivantes en faisant les transformations nécessaires.

25. Le livre dont j'en connais des extraits m'a paru intéressant.
26. Il fut contraint de jouer aux cartes dont il avait horreur.
27. Nous sommes arrivés en haut d'une colline dont on voyait la ville.
28. Les médecins sont des personnes en lesquelles nous devons avoir confiance.
29. Il demeure dans une embarcation échouée près de la ville, qu'il a reconstruite de ses propres mains.

VIII. Transformez les deux propositions indépendantes de chaque phrase en une principale et une subordonnée relative. Vous soulignerez son antécédent.
Ex. Il y avait un homme et une femme ; ils attendaient. - Il y avait <u>un homme et une femme</u> qui attendaient.

30. Il ne se plaint pas de son agent ; celui-ci l'a beaucoup aidé à ses débuts.
31. Vous avez vu ce film ? je vous avais recommandé de le voir.
32. La rencontre de Mme de Warens se situe dans les *Confessions* de Rousseau ; on y fait souvent allusion.
33. Son père lui a légué des livres : elle les a tous dévorés.
34. Il a été félicité ; il a su faire preuve de discernement.

IX. Délimitez les propositions subordonnées relatives. Encadrez les pronoms. Soulignez les antécédents.

« La conformité qui lui parut dans leurs fortunes lui donna pour Consalve cette sorte d'inclination que nous avons pour les personnes dont nous croyons les dispositions pareilles aux nôtres. » (Mme de Lafayette, *Zaïde*)

16. LES CIRCONSTANCES

Pensons d'abord à notre interlocuteur. Pour être compris, il faut être clair. Inspirons-nous des « brèves », ces petites informations dans lesquelles nous demandons aux journalistes de nous livrer l'essentiel en répondant d'abord à une quintuple interrogation : Qui ? Quand ? Quoi ? Comment ? Où ?

I. 1.   Laquelle des expressions suivantes ne désigne pas l'antériorité ?
a)   antidaté   d)   antécédent
b)   antédiluvien   e)   antéposition
c)   Antéchrist

2.   On entend par *jussif* un mode verbal qui marque :
a)   le regret   d)   l'ordre
b)   le désir   e)   le doute
c)   la joie

3.   Dans *périnatal,* le préfixe *péri* signifie :
a)   avant   d)   à l'inverse
b)   après   e)   autour
c)   à l'extérieur

II. À quelle question correspond chacune des réponses suivantes ?
Quand (a) ; Où (b) ; Comment (c) ; Pourquoi (d). Ex. Il n'a rien dit car il
est timide : d.

4. Il fera cet exercice après qu'il aura compris l'énoncé.
5. L'art préoccupe les philosophes puisque l'esthétique fait partie de la philosophie.
6. Ils effectueront cette manœuvre simultanément.
7. Au lendemain de ses victoires, Napoléon fut acclamé.
8. On l'a trouvé sans difficulté.
9. Sur les routes du retour, il y a beaucoup d'encombrements.
10. Au cœur de la forêt se trouve une clairière.
11. Il se présente avec beaucoup de tact.
12. Travailler pendant toutes les vacances est souvent fructueux.

III. Soulignez d'un trait les compléments circonstanciels de temps et de deux traits les compléments circonstanciels de lieu.

13. Sur les autoroutes virtuelles, on devrait rapidement accéder à de multiples informations.
14. En 2010, les monnaies nationales ne seront plus qu'un souvenir en Europe.
15. Au dernier moment, l'inspiration lui est revenue.
16. Les jours ouvrables, il vaut mieux éviter de prendre sa voiture.
17. Le parc n'est ouvert que l'été.
18. C'est au journal télévisé que cette information est parue.

IV. Repérez les propositions circontancielles, de cause (a), de but (b) et de conséquence (c).

19. Elle avait essayé de le distraire de façon qu'il puisse oublier toutes ses épreuves.
20. Étant donné que tout est heureusement fini, il ne nous reste plus qu'à nous féliciter du résultat.
21. Il s'applique de sorte que ses parents puissent être fiers de son travail.
22. Afin que personne ne se sente lésé, il vaut mieux se montrer trop indulgent plutôt qu'excessivement sévère.
23. Comme le conférencier était intéressant, tous les participants l'ont vivement applaudi.

V. Indiquez pour chaque groupe de mots en italique s'il s'agit d'une cause ou d'une conséquence.

24. 25. 26. 27. « Ce n'est pas l'*infériorité des femmes* qui a déterminé leur *insignifiance historique*, mais c'est leur *insignifiance historique* qui les a vouées à l'*infériorité*. » (S. de Beauvoir, *Le Deuxième sexe*)

VI. Dans quelles phrases *pour* introduit-il une notion de but ?

28. Ils ont redoublé d'efforts pour que l'affaire ne leur échappe pas.
29. Il est puni pour avoir désobéi.
30. Pour grands que soient les rois, ils sont ce que nous sommes.
31. Pour trouver la solution, il faudra chercher longtemps.
32. Il y a trop d'impondérables pour que le sondage puisse être satisfaisant.
33. L'homme politique travaille pour le bien de son peuple.
34. Elle n'est pas assez sotte pour donner sa démission.

VII. Dans la liste suivante, quels mots servent à introduire la concession ?

35. bien que
36. sans que
37. quoique
38. puisque
39. soit que
40. à supposer que

VIII. Quelles valeurs circonstancielles marquent les mots en italique ?

« *Pour que* chez un peuple démocratique une association ait quelque puissance, il faut qu'elle soit nombreuse. Ceux qui la composent sont *donc* disséminés sur un grand espace, et chacun d'eux est retenu dans le lieu qu'il habite *par* la médiocrité de sa fortune et par la multitude des petits soins qu'elle exige. Il leur faut trouver un moyen de se parler tous les jours *sans* se voir, et de marcher d'accord sans s'être réunis. *Ainsi* il n'y a guère d'association démocratique qui puisse se passer d'un journal. » (A. de Tocqueville, *De la démocratie en Amérique*)

17. LIENS LOGIQUES ET TRANSITIONS

Communiquer, c'est exprimer et tenter de faire partager sa vision des choses, ses sentiments, sa pensée. Tantôt il s'agira de décrire, de démontrer, de persuader, de convaincre, tantôt de comparer, juger, voire polémiquer. Loin des affirmations gratuites, l'argumentation doit toujours apparaître comme rigoureusement ordonnée et logique.

I. 1. Quelle forme faut-il associer à *syn* pour obtenir un mot qui désigne une suite d'opérations procédant du simple au composé ?

a) drome
b) phonie
c) chronie
d) thèse
e) biose

2. Comment appelle-t-on un raisonnement qui va du particulier à la loi générale ?

a) par récurrence   d) par comparaison
b) par induction   e) par déduction
c) par opposition

II. Parmi les articulations suivantes, lesquelles marquent :

- l'introduction (a) ;
- l'énumération (b) ;
- l'opposition (c) ;
- l'illustration (d) ;
- l'insistance (e) ;
- la conclusion (f) ?

3. bref : 4. aussi : 5. de plus : 6. assurément : 7. ensuite : 8. donc : 9. en revanche : 10. d'abord : 11. en outre : 12. mais : 13. ainsi : 14. avant tout : 15. néanmoins : 16. d'où : 17. en résumé : 18. par exemple : 19. à plus forte raison : 20. notamment : 21. mieux : 22. par conséquent : 23. en second lieu : 24. d'autant plus :

III. Cherchez quatre termes d'articulation qui :

- additionnent : 25.   - soustraient : 29.
26.   30.
27.   31.
28.   32.

- concluent : 33.
34.
35.
36.

IV. Cherchez un terme d'articulation qui marque :

- la preuve : 37.
- l'illustration : 38.
- l'atténuation : 39.

V. Cherchez cinq verbes, plus nuancés que *dire*, que l'on puisse utiliser pour rapporter la pensée d'autrui.

Ex. N dit qu'il est absolument innocent : N *affirme* qu'il est innocent.

40. 41. 42. 43. 44.

VI. Reliez ces deux phrases en une seule pour exprimer l'idée de but. Au moins deux transformations sont possibles.

45. 46. Je voudrais faire un sport. Cela me détendrait.

VII. Même exercice, en exprimant l'idée de cause.

47. 48. Ils sont très égocentrés. Ils écrivent leur autobiographie.

VIII. Même exercice, en exprimant l'idée d'opposition.

49. 50. Vous êtes jeunes et dynamiques. Nous sommes adultes et sages.

IX. Voici, dans le désordre, une introduction, une transition et deux phrases indiquant l'idée générale d'un débat sur la place que pourrait prendre Internet dans la société de demain. Rétablissez l'ordre logique : a) introduction ; b) première partie ; c) transition ; d) deuxième partie.

51. Pour autant, la croissance d'Internet ne suscite pas un enthousiasme général.
52. Indéniablement, le réseau Internet procure une certaine ivresse à ses utilisateurs.
53. Les craintes qu'inspire Internet sont de plusieurs ordres.
54. Pour les uns, il va régénérer les liens sociaux et réveiller les sociétés occidentales repliées sur elles-mêmes. Pour les autres, il risque de les faire définitivement basculer dans un cauchemar autiste. Prométhée ou Big Brother ? (D'après J.-M. Normand, « Le Monde », sept. 1995)

X. Dans le texte suivant, encadrez les mots-clés (porteurs de l'idée essentielle) et soulignez les mots-outils (connecteurs logiques). Indiquez où se situeront les alinéas.

« Si riche qu'ait pu être la lecture psychanalytique du mythe, elle ne cesse de rencontrer, de la part d'ethnologues, d'historiens ou de sociologues, des réticences parfois marquées d'agacement. Celui-ci tient à certaines défaillances méthodiques de la démarche de Freud, qui présente au moins deux faiblesses aux yeux de ses détracteurs. Elle se cantonne tout d'abord à une seule version de l'histoire (celle de Sophocle), ignorant qu'un mythe se définit justement par le réseau de ses variantes. Elle s'impose ensuite comme le fondement même du mythe dont elle croit résoudre la vérité profonde. L'anthropologue Claude Lévi-Strauss a beau jeu de faire remarquer que l'analyse de Freud n'est au fond qu'une interprétation supplémentaire, voire une version du mythe, qui n'a de particulier que sa date d'apparition tardive. Plus sceptiques encore, les historiens Jean-Pierre Vernant et Pierre Vidal-Naquet récusent l'interprétation freudienne en objectant que le héros du mythe grec n'a pas le moindre complexe d'Œdipe. En se défendant contre un inconnu qui l'a frappé le premier, il tue un père envers lequel il n'a aucune animosité. En épousant sa mère pour accéder au trône, il conclut, sur la suggestion de Créon, une union qu'il n'a nullement convoitée. Le mythe d'Œdipe est ainsi placé au cœur d'une polémique entre exégètes dont il est intéressant de confronter les interprétations. » (C. Carlier et N. Griton-Rotterdam, *Des mythes aux mythologies*)

18. LES FIGURES DE STYLE

Les figures de style, que l'on appelle encore *figures de rhétorique*, ou *tropes* (n. m.), font appel à toutes les ressources du langage verbal : exagération, atténuation, ironie, implication, détachement, etc.

Elles permettent de raconter ou de décrire avec objectivité, mais aussi de persuader avec conviction, de juger, de comparer, de polémiquer. Il faut certes éviter que le maniement de la langue ne serve à la falsification de la réalité. On ne doit pas craindre pour autant de rechercher l'expression la plus appropriée à ce que l'on veut transmettre.

I. 1.   Que désigne l'image du « démon de midi » ?
a)   la nuit de Walpurgis   d)   les tentations de l'âge mûr
b)   le personnage de Faust   e)   l'équinoxe
c)   la canicule estivale

2.   Comment appelle-t-on le fait de passer brusquement d'un sujet à l'autre ?
a)   un brimborion   d)   une billevesée
b)   un coq-à-l'âne   e)   un quiproquo
c)   un cuir

3.   Une *coquecigrue*, c'est :
a)   un animal sauvage
b)   un calembour
c)   une baliverne
d)   un légume obtenu par manipulation génétique
e)   une coquille dans le jargon des typographes

II. Identifiez les figures de style indiquées en italique (anaphore, périphrase, euphémisme, métonymie, oxymore, répétition, métaphore, inversion, hyperbole).

4.   *L'Élysée* a manifesté sa surprise à la suite des récentes déclarations du Premier ministre britannique.
5.   Le mythe du Bon sauvage se développe au siècle des *Lumières*.

6. L'idée de visiter la *Venise du nord* me convainc de l'opportunité d'un voyage en Belgique.

7. *Aimez* vos *ennemis.*

8. Je suis intervenu en votre faveur afin de vous aider à résoudre *le problème locatif qui vous préoccupe.*

9. « Les gens ne s'intéressent pas aux héros heureux. Il leur faut *du tragique, du mythique, du monstrueux, du terrifiant.* » (J. Lacarrière)

10. 11. 12. « *ma négritude* n'est pas une taie d'eau morte sur l'œil mort de la terre

ma négritude n'est ni une tour ni une cathédrale

elle plonge dans la chair rouge du sol

elle plonge dans la chair ardente du ciel

elle troue l'accablement opaque de sa *droite* patience » (A. Césaire)

III. 13. Cet extrait comporte plusieurs figures de style. Lesquelles ?

« Il faut restaurer l'Homme. C'est lui l'essence de ma culture. C'est lui la clef de ma Communauté. C'est lui le principe de ma victoire. » (Saint-Exupéry, *Pilote de guerre*)

14. Même exercice.

Le procureur, à propos de Meursault : « Quand il s'agit de cette cour, la vertu toute négative de la tolérance doit se muer en celle, moins facile, mais plus élevée de la justice. Surtout lorsque le vide du cœur tel qu'on le découvre chez cet homme devient un gouffre où la société peut succomber. » (A. Camus, *L'Étranger*)

IV. 15. Comment appelle-t-on la construction syntaxique des phrases mises ci-après en italique ?

« *Nîmes enfin, Nîmes et ses jardins de la Fontaine !* Nous poussons la porte dorée et noire et le monde change. *Un printemps si féerique qu'on tremble de le voir s'abîmer et se dissoudre en fumée ! La fontaine, les bains de Diane, profondes avenues de pierre où gronde une eau impérieuse et verte, transparente, sombre, bleue et brillante comme un serpent vif...* » (Colette)

V. Soulignez le comparé, encadrez le comparant ; puis classez les comparaisons suivantes de la plus conventionnelle à la plus insolite.

16. « Derain aux yeux gris comme l'aube » (Apollinaire)

17. « Son peigne d'ambre divisa la masse soyeuse en longs filets orange pareils aux sillons que le gai laboureur trace à l'aide d'une fourchette dans de la confiture d'abricots. » (B. Vian).

18. « Nous traversons les jours comme une pierre l'onde » (P. Valéry)

19. « Heureux qui, comme Ulysse, a fait un beau voyage » (Du Bellay)

20. « La terre est bleue comme une orange » (P. Eluard)

21. « Et ta face est offerte aux signes de la nuit, comme une paume renversée » (Saint-John Perse)

VI. Complétez par le nom propre qui convient les expressions suivantes.

22. avare comme…
23. riche comme…
24. pauvre comme…

25. fort comme…
26. vieux comme…

VII. Remplacez les clichés suivants par une expression moins lourde.

27. courageux comme un lion
28. bondir comme un tigre
29. venir à grands pas
30. une frayeur mortelle
31. verser des torrents de larmes
32. une atmosphère de franche camaraderie

VIII. En vous aidant du glossaire, attribuez aux expressions en italique empruntées à *L'Amant* de Marguerite Duras la figure de style qui les désigne (a : hyperbate ; b : anadiplose ; c : épiphore ; d : chiasme).

33. « Je vois bien que *tout est là. Tout est là* et rien n'est encore joué. »
34. « Elle le *laisse dire.* D'abord elle dit qu'elle ne sait pas. Puis elle le *laisse dire.* »
35. « Seule Hélène Lagonelle échappait à la loi de l'erreur. *Attardée dans l'enfance.* »
36. « *Il s'est allongé* de nouveau. De nouveau *nous nous taisons.* »

19. LE RYTHME DES PHRASES

> On attend du style qu'il soit immédiatement accessible et donne une impression de simplicité et de facilité, mais aussi qu'il soit percutant, c'est-à-dire dense et rythmé. Grâce à quoi l'attention du lecteur et son intérêt seront tenus en éveil.

I. 1. Laquelle de ces phrases est grammaticalement incorrecte ?

a) On réalise tout par nous-mêmes.
b) On ne s'était jamais rencontrés.
c) On doit se méfier de ce qu'on entend.
d) On a souvent besoin d'un plus petit que soi.

II. 2. Il y a deux erreurs. Trouvez-les.

a) si curieux que cela paraisse

b) des embarras pécuniaires

c) elle nous en rabat les oreilles

d) bayer aux corneilles

e) bayer de fatigue

III. Améliorez les phrases suivantes en limitant les empilements excessifs.

3. Nous avons opté pour ce film parce qu'il était nouveau, du fait que nous en connaissions l'auteur, et parce qu'il se jouait à proximité.

4. Voyez ce livre : il est distrayant, il est écrit en gros caractères, il fait 128 pages seulement, il a de bonnes illustrations, il est relié, il peut vous intéresser.

5. Le personnage était grand, il me paraissait fort et il donnait l'impression d'être courageux ; d'ailleurs il semblait encore jeune et il avait l'air très vigoureux.

6. Le sport pour de nombreux télespectateurs qui restent chez eux et pour qui un match n'est qu'un spectacle, c'est un passe-temps qui, s'il devait leur demander quelque effort, leur serait vite insupportable, et qu'ils abandonneraient.

IV. Récrivez les phrases suivantes de façon à supprimer les cascades de noms.

7. Les personnages de roman du XIXe s. ne diffèrent pas seulement des personnages de théâtre de la même époque ; ils sont aussi différents de ceux du roman de l'époque du classicisme.

8. J'ai écrit un essai sur le progrès des idées révolutionnaires en France sous l'Ancien Régime chez les bourgeois éclairés en plein essor économique et en désaccord avec le pouvoir de la monarchie.

9. Le déclenchement du signal d'alarme provoque l'arrêt instantané du train et l'ouverture simultanée des portières de chaque wagon.

V. Remaniez les phrases en évitant les participes.

10. La liberté démocratique résistera-t-elle aux nouvelles techniques informatiques ayant envahi les États-Unis et le Japon ?

11. Il a pris un risque en choisissant le sujet portant sur la question de cours.

12. Les fabricants ayant enfin compris l'attente du public, vont modifier leur stratégie.

VI. Récrivez de façon satisfaisante les phrases suivantes.

13. Les hommes ne croient plus que les civilisations soient immortelles.

14. Si quelqu'un contrevenait à cette interdiction, il serait passible d'une amende.

15. C'est un homme très intelligent, d'une énergie extraordinaire et séduisant.

VII. Découpez les phrases suivantes en plaçant une barre entre les groupes rythmiques. Mettez une double barre entre la *protase* (première partie) et l'*apodose* (deuxième partie).
Ex. « La croissance et les maladies de la ville,/ la multiplicité de ses fonctions,/ son comportement quotidien/ suggèrent que la ville réagit comme un organisme vivant// communiquant avec un environnement/ qu'il modifie indirectement/ et qui le modèle à son tour. » (J. de Rosnay)

16. « Si on a trouvé que l'entrée de Malraux au Panthéon allait de soi, c'est en partie parce que son hommage inspiré à Jean Moulin devant ce même Panthéon, en tant que ministre de la culture, a représenté en 1964 un moment rare, dans son œuvre comme dans l'histoire du lieu et de l'oraison funèbre. » (B. Poirot-Delpech)

17. « Au moment où les grandes utopies du XIXe s. ont livré toute leur perversion, il est urgent de créer les conditions d'un travail collectif de reconstruction d'un univers d'idéaux réalistes capable de mobiliser les volontés sans mystifier les consciences. » (P. Bourdieu)

18. « Pour aborder ces échéances en position de force, pour construire une Europe respectueuse du génie des nations qui la composent et capable de rivaliser avec les grands ensembles mondiaux, votre adhésion et votre soutien sont essentiels. » (J. Chirac)

VIII. Rétablissez l'ordre normal des cinq phrases suivantes.

19. « Restait cette redoutable infanterie de l'armée d'Espagne. » (Bossuet)

20. « À la fierté, au courage, à la force, le lion joint la noblesse, la clémence, la magnanimité. » (Buffon)

21. « Ainsi se tenait, devant ces bourgeois épanouis, ce demi-siècle de servitude. » (Flaubert)

22. « Partout s'étalait, se répandait, s'ébaudissait le peuple en vacances. » (Baudelaire)

23. « Pendant que nous descendions l'escalier, le montait, avec un air de lassitude qui lui seyait, une femme qui paraissait une quarantaine d'années bien qu'elle eût davantage. » (Proust)

IX. Soulignez les groupes ternaires.

24. Les Droits de l'Homme représentent un espoir pour la France, l'Europe et la planète entière.

25. Dans *Le Meilleur des mondes*, c'est à un dressage, un conditionnement, un lavage de cerveau que l'éducation est assimilée.

26. Bien sûr, tout cela pourrait apparaître comme une erreur, un échec, ou même une catastrophe.

27. Nous-mêmes, mais aussi nos enfants et nos parents sommes tous concernés par l'accélération de l'histoire.

28. La plus belle voie est celle qui concilie la justice, la solidarité et la modernité.

X. Toutes les phrases ci-après sont juxtaposées (*parataxe*). Transformez-les d'abord en propositions coordonnées puis en propositions subordonnées (*hypotaxe*).
Ex. Nous partageons encore des valeurs. Les esprits sont troublés. Il s'agit d'une crise. - Nous partageons encore des valeurs, or les esprits sont troublés ; donc il s'agit d'une crise. - Alors que nous partageons encore des valeurs, les esprits sont troublés au point que l'on peut parler de crise.

29. 30. La nuit vient. Les réverbères s'allument.

31. 32. Les classiques imitent les anciens. Les néo-classiques imitent les classiques. Les modernes, eux, se prétendent originaux.

33. 34. Le XVIe s. a vu naître l'imprimerie ; le XXe a vu apparaître l'imprimante.

35. 36. La démocratie est considérée comme un progrès ; l'esclavage une pratique barbare.

37. 38. Il y a eu de grandes dynasties. Elles sont parfois peu connues.

XI. 39. Quelle est la particularité rhétorique de cette formule que l'on trouve notamment chez Molière : « Il faut manger pour vivre et non pas vivre pour manger » ?
40. Trouvez une autre phrase du même type.

20. LES JEUX DE MOTS

Il faut utiliser les jeux de mots avec modération : le calembour systématique devient vite lassant : qu'on se rappelle les « saillies » de Brichot, chez Proust, pour qui le comble du ridicule était que *l'édit de Nantes* fût pris pour une Anglaise ! En revanche, jouer sur les mots avec pertinence permet de mettre en lumière des significations oubliées ou des connotations nouvelles. L'art du style passe par une utilisation ludique et spirituelle de la langue.

I. 1. « Les philosophes n'ont fait qu'interpréter le monde, ce qui importe, c'est de le transformer. » Cette formule est de :
a) Feuerbach   d) Marx
b) Descartes   e) Nietzsche
c) Schopenhauer

2. « **Le roman moderne n'est plus le récit d'une aventure mais l'aventure d'un récit.** » **Cette phrase est due à** :

a) Mauriac   d) Robbe-Grillet

b) Ricardou   e) Diderot

c) Sartre

3. Parmi ces homonymes, lequel désigne une *chemise de crin* ?

a) hère   d) aire

b) ère   e) haire

c) erre

II. Cherchez six paronymes dont le voisinage peut créer un effet de sens inattendu.
Ex. Lisible et Visible.

4.   5.   8.   9.

6.   7.

III. Jeu sur les locutions ou les proverbes. Détournez-les de leur sens convenu.
Ex. « Ce n'est pas tout de mourir : il faut mourir à temps. » (Sartre)

10.   12.

11.

IV. Soulignez les expressions symétriques que l'on rencontre dans les phrases suivantes.

13. « La mélancolie du titre l'a emporté sur l'euphorie de la démonstration. » (R. Jaccard)

14. « Marx a triomphé aux dépens du marxisme... Faut-il vanter l'individualisme comme l'antidote du collectivisme ou bien le dénoncer comme l'ennemi de la cité ? » (J.-M. Domenach)

15. « La vie imaginaire est plus vraie que la vraie vie. » (Hugo Pratt)

16. « Démentant la thèse qu'il soutient par l'idolâtrie dont il fait preuve, il célèbre l'allégresse de la mode et s'aveugle sur sa férocité, sa violence ségrégative. » (A. Finkielkraut)

V. À l'aide des exemples précédents, inventez à votre tour quatre phrases qui jouent sur les effets de symétrie.

17.   19.

18.   20.

VI. Créez (ou cherchez notamment dans la publicité) quatre exemples de paronomases du type : *Quelle époque épique !*

21.   23.
22.   24.

VII. En vous inspirant du modèle suivant (voyez l'usage de la ponctuation), jouez vous aussi sur les mots.
Ex. « La guerre justifie l'existence des militaires. En les supprimant. » (H. Jeanson)

25.   27.
26.

VIII. Dans le passage suivant dû au sociologue P. Bourdieu, l'usage des mots *corps, classe* et *incorporer* repose sur une équivoque. Laquelle ?

28. corps :
29. classe :
30. incorporer :

    « Culture devenue nature, c'est-à-dire incorporée, classe faite corps, le goût contribue à faire le corps de classe : principe de classement incorporé qui commande toutes les formes d'incorporation, il choisit et modifie tout ce que le corps ingère, digère, assimile, physiologiquement et psychologiquement. » (*La Distinction*)

IX. Quels sont les effets rhétoriques à l'œuvre dans la péroraison du discours suivant ?

    « Je pense à mes parents. Je pense aux patriotes. J'aurai accompli mon devoir si je suis digne de leur mémoire. » (J. Chirac, élections de Mai 1995)

X. Relevez les mots polysémiques qu'utilise le cinéaste J.-L. Godard dans l'extrait suivant. Sur quelle figure s'effectue la chute du texte ?

    « Que le cinéma ayant négligé (ou qu'ayant négligé le cinéma, cette demi-mondaine en négligé) de rappeler ses devoirs à sa majesté le dire, ce dernier ne sait presque plus aujourd'hui qu'empiler les mots sans plus même les voir… Nous sommes donc tous sûrs d'avoir le dernier mot, dans nos disputes amoureuses et en Yougoslavie ; y compris si nous restons muets de saisissement. On tirera donc son chapeau devant la casquette de Serge Daney lorsqu'il écrit que finalement l'écran fait écran au lieu de refaire surface. Mission impossible diront les bonnes âmes à la mode. Disons démission possible. »

ANNEXES

1. CONSEILS PRATIQUES

I. Le vocabulaire

Utilisez en priorité les noms et les verbes.
Méfiez-vous de la lourdeur de certains adverbes.
Adjectifs : attention à leur position.
Respectez l'orthographe.
Cherchez le mot propre.
Servez-vous d'une langue précise, avec des mots spécifiques, concrets de préférence.
Évitez les mots étrangers. Ex. Employez *anxiété* plutôt que *stress*.
N'utilisez pas de tournures familières. Ex. *partir* est préférable à *se casser*.
Proscrivez les expressions approximatives. Ex. Un immeuble *salluste* n'existe pas. On dira *vétuste*, ou *insalubre*.
N'abritez pas une maladresse ou une impropriété derrière l'emploi de guillemets.
Fuyez les termes fantaisistes et les néologismes lorsqu'une même idée peut être rendue à l'aide de mots courants.
Usez des figures de style avec parcimonie.
Évitez les hyperboles incongrues, les clichés, les poncifs abyssaux. Ex. *Une nana hyper-supra canon* ne perd rien à être décrite comme *une jeune femme d'une grande beauté !*

II. La grammaire

Écrivez de manière simple.
Faites des phrases courtes.
Ménagez des liens logiques.
Évitez une succession de phrases décousues.
Soyez clair pour que le lecteur vous comprenne sans avoir à vous relire.
Utilisez de préférence la voix active.
Employez plutôt la forme affirmative.
Respectez l'ordre progressif : sujet, verbe, compléments éventuels.
Évitez l'inversion des termes, sauf pour créer des effets spéciaux.
Reliez vos idées plutôt par des coordinations que par des cascades de subordination.

Verbes : veillez à la concordance des temps, à l'emploi correct des modes. Ex. *Il sortira après qu'il aura fini* (indic.) mais : *Faites-le avant qu'il soit trop tard* (subj.) - *Je souhaiterais que vous vous hâtiez* (subj. après un verbe marquant un vœu atténué par le conditionnel) alors que : *J'espère que vous vous hâterez* (indic. futur).
Dans une narration rapide, ne mélangez pas les temps verbaux.

III. Le test de lisibilité

Le texte servant à représenter des choses et des idées à l'aide de signes, il convient de vérifier que *l'encodage* — ou *écriture* — sera correctement interprété au moment du *décodage* — ou *lecture*.

Pour que la communication s'effectue dans les meilleures conditions possibles, il faut satisfaire *l'esprit* (cohérence du fond), mais aussi *l'œil* (en utilisant correctement l'espace visuel de la page) et *l'oreille* du lecteur. Rappelons que la calligraphie est à elle seule un art à part entière. Quant aux phénomènes acoustiques, des auteurs comme Flaubert étaient suffisamment sensibles à l'euphonie (qualité sonore du texte) pour se soumettre à l'épreuve du « gueuloir » : la lecture à haute voix est impitoyable pour les phrases cacophoniques.

Graphie

Surveillez *l'écriture* : elle doit être facile à déchiffrer et élégante, donc ni minuscule ni exagérément grosse, trop serrée ou informe. Elle doit être régulière (penchée ou droite), ni montante ni descendante. Une lettre de motivation est toujours manuscrite.
Mêmes consignes pour les travaux réalisés à *l'aide d'un traitement de texte*. On privilégiera les mises en page et les polices de caractères qui assurent le meilleur confort de lecture.

Typographie

Veillez aux *signes diacritiques*. Les points sur les i, les accents, cédilles, etc. servent aussi à faciliter la lecture. Il faut éviter tout ce qui la ralentit ou nécessite de revenir en arrière.
Attention à l'orthographe des noms propres.
Mettez une majuscule au premier mot des phrases.
Soulignez les titres. Ils comportent une majuscule au premier mot et au premier nom.
Mettez entre guillemets les sous-titres : chapitres, poèmes, etc.
Les intertitres s'emploient dans les articles de presse.
Vérifiez le bon usage de la ponctuation, des accents et des signes typographiques.

Évitez d'utiliser deux fois les deux points dans une même phrase.

N'employez pas de point d'interrogation pour terminer une interrogative indirecte.

Ne pas mettre de point entre la proposition principale et la subordonnée.

Euphonie

Relisez votre texte à voix haute.

Traquez les hiatus ou les cacophonies.

Bannissez les répétitions.

Écrivez pour être lu : pas de phrases de plus de 12 mots pour le grand public ; 17 pour le niveau bac ; 25 pour les lettrés.

Vérifiez que chaque phrase est construite autour d'un verbe à un mode conjugué.

Une phrase : une idée.

Un paragraphe : plusieurs phrases ayant un lien thématique. Ne pas dépasser une dizaine de lignes.

2. APPLICATIONS

I. La lettre

Face à l'extension des communications orales, il est nécessaire de rappeler que l'écrit, en de multiples domaines, est irremplaçable. La rédaction d'une simple lettre ne doit embarrasser personne. On se demandera d'abord à quelles questions la correspondance épistolaire doit répondre :

- que s'est-il **passé** qui justifie cette lettre ?
- qu'est-ce que j'ai à dire maintenant, dans le **présent** ?
- qu'est-ce que j'attends du destinataire dans le **futur** ?

Elle obéit à des consignes précises :

- support : papier blanc, sans carreaux ni lignes ;
- prénom, nom et adresse (Ni *Dufaux Yves* ni *M. Y. Dufaux*) ;
- référence éventuelle de l'objet ou de l'annonce ;
- lieu et date ;
- marges : au moins 3 cm à gauche, 1 cm à droite ;
- formule d'appel. Si le destinataire est inconnu : *Monsieur ;* si sa fonction est connue : *Madame la Directrice.* Ne pas oublier les majuscules ;
- formules de politesse. Sont préconisées : *Veuillez agréer, Monsieur, mes respectueuses salutations* ou *Veuillez agréer, Monsieur, l'expresion de ma respectueuse considération* ;
- signature d'une calligraphie simple et reconnaissable.

L'exemple suivant permettra d'apprécier comment il convient d'améliorer le style d'un premier jet.

Brouillon

> *Mlle Géraldine D.*   *Le 8 avril 1997*
>
> *Monsieur,*
> *L'année dernière ayant passée le concours d'entrée au B.T.S. de*
> *votre école, et ayant terminée 17ᵉ sur la liste d'attente, je me permets cette*
> *année de réitérer ma demande. Je suis titulaire du Bac ES depuis presque un*
> *an et depuis j'ai continué mes études à l'université de la Sorbonne où j'y*
> *apprends les lettres modernes — mes partiels du 1er semestre ont été passés*
> *avec 11 en grammaire 13 en littérature comparée 10 en LF 104 et 11 en FR*
> *101. La formation que vous offrez dans votre établissement m'interresse*
> *vraiement et me permettrait de me diriger là où j'aimerai réellement aller.*
> *Mes études, mon expérience semblent particulièrement adapter au profil de*
> *l'élève que vous demandez. En vous remerciant d'avance, veuillez agréer, M. le*
> *directeur, mes sentiments respectueux.*

Relecture

Pour avoir plus de chance d'intéresser notre interlocuteur, soignons d'abord la présentation en disposant plus élégamment la lettre dans l'espace de la page.

Corrigeons ensuite les erreurs de ponctuation et d'orthographe (accord, temps verbaux, vocabulaire) : *passé, terminé, aimerais* (cond. de politesse), *adaptées.*

Évitons l'anacoluthe finale, très fréquente : *vous remerciant* et *veuillez* ne se rapportent pas au même sujet : il y a confusion entre l'émetteur et le destinataire ! En-tête et formules de « politesse » à rendre davantage… courtoises.

Travaillons le style pour qu'il soit plus aisé. Relisons donc la lettre à haute voix : on s'épargnera ainsi les cacophonies et les répétitions ; choisissons les mots propres en recourant éventuellement à un dictionnaire ; vérifions enfin la correction de la syntaxe : plusieurs fautes apparaissent, dont un pléonasme (*où j'y*).

État final

> *Géraldine D.*   *Bobigny, le 8 avril 1997*
>
> *Monsieur le Directeur,*
>
>   *Ayant passé l'année dernière le concours d'entrée au B.T.S. de votre école,*
> *et ayant terminé 17ᵉ sur la liste d'attente, je me permets cette année de*
> *renouveler ma demande. Titulaire du baccalauréat ES depuis presque un an, je*
> *suis actuellement en première année de Deug de Lettres modernes à la*
> *Sorbonne (Paris IV). Les notes que j'ai obtenues aux premiers partiels sont les*

suivantes : 11 en grammaire, 13 en littérature comparée, 10 en littérature médiévale et 11 en littérature française.

La formation que vous offrez dans votre établissement m'intéresse vraiment et me permettrait de me diriger dans une voie qui concilie les aptitudes littéraires et le goût pour la création. Or mes études et mon expérience semblent particulièrement adaptées au profil de l'élève que vous attendez.

Je reste à votre entière disposition pour vous fournir tout renseignement complémentaire et vous prie d'agréer, Monsieur le Directeur, l'expression de mes sentiments respectueux.

II. Le devoir rédigé

Afin de comprendre pourquoi ce *commentaire composé* d'un poème de Baudelaire, « L'Ennemi », n'aurait pas obtenu la moyenne, nous avons indiqué en gras les annotations que n'aurait pas manqué de porter un examinateur. Les corrections formelles en découlent directement.

> Ma jeunesse ne fut qu'un ténébreux orage,
> Traversé çà et là par de brillants soleils ;
> Le tonnerre et la pluie ont fait un tel ravage,
> Qu'il reste en mon jardin bien peu de fruits vermeils.
>
> Voilà que j'ai touché l'automne des idées,
> Et qu'il faut employer la pelle et les râteaux
> Pour rassembler à neuf les terres inondées,
> Où l'on creuse des trous grands comme des tombeaux.
>
> Et qui sait si les fleurs nouvelles que je rêve
> Trouveront dans ce sol lavé comme un grève
> Le mystique élément qui ferait leur vigueur ?
>
> - Ô douleur ! ô douleur ! Le temps mange la vie,
> Et l'obscur Ennemi qui nous ronge le cœur
> Du sang que nous perdons croît et se fortifie !

Abréviations :

barb : barbarisme
impr : mot ou expression impropre
inex : inexactitude
md : mal dit
o : erreur d'orthographe
p : ponctuation manquante ou inadéquate
rép : répétition
sol : solécisme

*Chez maint /**md**/ auteur, le temps a toujours attisé /**impr**/ de l'intérêt. Dans « L'Ennemi » /**p**/ un sonnet tiré des Fleurs du mal de Baudelaire /**p**/ le temps joue le rôle d'un démoniaque vampire /**md**/. Mais ce phénomène ne peut-il pas varier en fonction de l'éducation ? N'y a-t-il pas un espoir de revanche ou des moyens qui permettent de lutter contre cet ennemi qu'est la mort ?*

*Tout au long de ce sonnet, nous apercevons /**impr**/ une ambiance dramatique. Cela commence par une jeunesse perçue malheureuse /**md**/ (vers 1). L'adjectif « ténébreux » renforce déjà le caractère angoissant d'un orage, symbole d'agilité /**impr**/, d'une jeunesse houleuse en evenements /**accents**/. De plus cela est renforcé /**rép**/ par une utilisation importante des pronoms possessifs /**inex** : adjectifs/ et personnels.*
*Cette tendresse /**en retrait**/ qu'il n'a pas reçu /**o**/ l'a profondément marquée, /**o**/ /**p**/ pour cela il utilise des mots potentieux /**barb**/ comme si les éléments luttaient contre lui (v. 4 et 5). On s'aperçoit dès la fin de cette 1ère /**en lettres**/ strophe que le narrateur se trouve proche du seuil de la mort, comme « lessivé » /**impr**/ par tous /**o**/ les péripéties qu'il a endurés /**o**/ tout au long de sa vie.*

*Le temps joue le rôle d'un démoniaque tyran, il apporte la mort, il est très mis en œuvre /**md**/ par l'emploi de la métaphore des saisons : « l'automne des idées ». En effet l'automne caractérise la mort de la végétation, de la nature. De plus /**impr**/ cette idée de mort est caractérisée /**rép**/ par l'utilisation d'un vocabulaire de fossoyeurs ce qui accentue considérablement cet ennemi qu'est la mort /**p**/ qu'est le temps. Mais celà /**o**/ ne lui suffit pas /**p**/ en plus /**md**/ le temps joue le rôle d'un abominable vampire /**déjà dit**/, qui meurtrit tous êtres /**md**/ : cela se caractérise /**rép**/ d'un passage à la première personne au début du texte à un __nous__ collectif à la fin. La transformation du temps : le passage du passé au présent montre que de tout temps il a joué ce rôle. La soufrance /**o**/ se caractérise par des implorations (« ô douleur ! »).*

*Le caractère semble irréversible par /**md**/ la nombreuse présence de points d'exclamation qui montre combien il est sûr de sa mort prochaine, que le temps de toute façon gagnera la partie, que c'est une lutte pratiquement perdue d'avance, que le caractère semble irréversible /**lourd et rép**/. Toutefois /**en retrait : alinéa**/ l'espoir de revanche éxiste /**accent**/ par /**md**/ l'existence /**o**/ de poèmes /**inex** : __vers__/qui sont une marque d'espérance. Cette idée trouve sa source dans le premier tercet qui est un passage de questionnement : cela se traduit pas seulement /**sol**/ par la présence de points d'interrogation mais aussi par le champ lexical. Les fleurs dont il parle sont celles de son recueil de poèmes (strophe III).*

> _Cet_ extrait de _ce_ /**rép**/ recueil semble pratiquement une œuvre
> autobiographique, sachant /**md**/ que Beaudelaire /**o**/ a reçu une jeunesse
> malheureuse /**md**/ qui l'on fait /**charabia**/ écrire ces poèmes sous le signe du
> désespoir. Nous pouvons se /**sol**/ demander si l'ambiance dramatique ne
> suggere /**accent**/ pas un malaise de l'auteur à cette époque et une complête
> /**accent**/ remise en cause de soi-même et du but de sa vie.

On remarque la présence d'un plan, et on peut louer le candidat d'avoir tenté
d'annoncer les trois parties du devoir dans son introduction, alors que la
conclusion résume l'ensemble. Malheureusement, la rédaction, d'une maladresse
extrême, le vocabulaire indigent, la syntaxe maltraitée, l'orthographe, la
ponctuation et l'accentuation trop souvent négligées sont autant d'éléments qui
vont déclencher l'irritation du lecteur. Aussi le correcteur, au lieu de s'attacher à
chercher les quelques qualités du devoir (essai d'explication psychologique
appuyée sur une analyse littéraire assez précise), ne trouvera-t-il guère qu'à
critiquer une succession d'erreurs formelles : **un style aisé aurait au contraire
permis de porter plus d'attention au contenu.**

CORRIGÉS DES EXERCICES

1. LA PRÉSENTATION

I. 1. b) saint Augustin - e) les Anglais ; 2. e) ; 3. b) aphro-disiaque - c) déréglementa-tion : on coupe après une voyelle ou, au sein d'une syllabe, entre deux consonnes et on évite de rejeter à la ligne suivante la partie la plus longue du mot. 4. b) y a-t-il - d) travaille-t-il - e) c'est-à-dire

II. 5. c) - 6. a) - 7. d) - 8. b)

III. Le titre est en italique ; l'auteur du livre (Stendhal) en romain.

IV. 10. Baudelaire, « Les correspondances » (titre d'un poème), *Les Fleurs du mal* (titre du recueil) - 11. *Madame Bovary* - 12. « L'Équipe » - 13. Barthes, *L'Empire des signes* - 14. *L'Œuvre au noir* - 15. Michel Foucault a écrit une *Histoire de la folie*. Majuscule au premier mot et, lorsqu'il s'agit d'un article défini, au premier nom d'un titre (en revanche : *Une vie*, de Maupassant).

V. 16. Les éléments constitutifs du romantisme sont : le culte du moi, le sentiment de la nature, le mal de vivre.

VI. 17. Nerval introduit *Aurélia* par la célèbre affirmation : « Le rêve est une seconde vie. »
18. Dans *Candide*, Voltaire fait dire à son personnage : « Ô ! Pangloss, tu n'avais pas deviné cette abomination ! C'en est fait, il faudra qu'à la fin je renonce à ton optimisme », au moment où il est confronté à l'esclave de Surinam.

VII. 19. On espérait une détente. Mais elle ne se confirme pas encore. Comme les partenaires se croient antagonistes, ils ne se font pas de concession. Ils ne comprennent pas qu'ils sont liés l'un à l'autre et que leurs projets ne s'opposent pas.

VIII. 20. Le paragraphe est une portion de texte constituée d'une suite de phrases ayant une unité de signification ou de pensée. Le lien qui unit ces phrases est d'ordre thématique.

L'alinéa est un paragraphe très court qui peut se réduire à une seule phrase. Celle-ci, isolée du contexte, prend alors un relief particulier.

Si l'on multiplie les alinéas, pour la clarté de la présentation, il faut savoir aussi que c'est au détriment de la cohérence logique : le lien entre les idées s'estompe. À l'inverse, un texte composé d'un unique paragraphe serait trop dense et difficile à lire.

21. Définition du paragraphe et de l'alinéa puis commentaire.

IX. 22. 23. Trois subdivisions, correspondant aux connecteurs logiques, seraient souhaitables :
Maintenant qu'est un peu calmée…
Certes les peuples…
Mais n'est-ce pas …

2. LA PONCTUATION

I. 1. b) - d)
2. Pas de virgule entre le dernier élément de l'énumération sujet (*Junie*) et le verbe ; une virgule pour isoler un groupe apposé (donc après *Maupassant*)
3. c) : interrogative indirecte

II. 4. Il demande à qui il va s'adresser. (Pas de virgule entre le verbe et le complément)
5. Six romans, trois cents nouvelles, de nombreuses chroniques forment l'œuvre de Guy de Maupassant. (Pas de virgule entre le sujet et le verbe, le nom et son complément)
6. Dès les années soixante, la plupart des Nouveaux Romanciers prennent peu à peu leurs distances d'avec leur étiquette commune.
7. Pierre de Ronsard, Joachim Du Bellay, Antoine de Baïf, Rémi Belleau sont les auteurs de la Pléiade les plus connus.
8. La difficulté de ces cours requiert une assiduité absolue, (virgule facultative devant la conjonction de coordination) et un maximum d'attention.

III. 9. Pâris, aussi nommé Alexandre, était fils de Priam, roi de Troie, et d'Hécube.
10. Certains écrivains, comme Diderot ou Baudelaire, ont aussi été de brillants critiques d'art.
11. Les sonnets, qui comportent deux quatrains et deux tercets, font partie des poèmes à forme fixe.
12. Claude Lévi-Strauss, lui, dit ne pas aimer les voyages.

IV. 13. La croix grecque à quatre branches égales, elle, peut s'inscrire dans un carré.

14. La croix grecque a quatre branches égales : elle peut s'inscrire dans un carré.

V. 15. Les jeunes ont préféré sortir tandis que les plus âgés sont restés à la maison.

16. Ce cadeau me fait grand plaisir. Je suis heureux, heureux.

17. J'aime le cinéma et la télévision. Les concerts me déplaisent.

18. La fatigue, l'ennui, le dégoût l'ont finalement anéantie. Elle a fui dans le sommeil.

19. Les Français sont souvent cartésiens ; les Anglais toujours humoristiques.

20. Le symbolisme se meut dans l'imaginaire. De surcroît il se veut irrationnel.

VI. 21. Les stances du *Cid* et « Le lac » de Lamartine — autre page d'anthologie — ont bercé notre enfance.

22. Aglaé, Euphrosine et Thalie sont les divinités de la beauté qui appartiennent à la suite d'Apollon. Très tôt elles ont été confondues avec Héra (Junon pour les Romains), Athéna (Minerve) et Aphrodite (Vénus).

23. Il tiendra la boutique de son beau-père (Dufour, quincaillier).

24. Le plagiat — Renoir lui-même en fait l'éloge — n'est pas déconsidéré par tous les auteurs. (Il s'agit du cinéaste : Jean)

25. L'onomastique (étude des noms propres) révèle parfois des significations littéraires inattendues.

VII. Au XVIIᵉ s., l'architecture religieuse — surtout en Allemagne et en Autriche — se réfère essentiellement au baroque et les artistes donnent libre cours à leur fantaisie créatrice.

VIII. La mise en connexion de terminaux isolés contribuera-t-elle à favoriser une démocratie planétaire, atomisera-t-elle encore davantage les individus ? Ce qui me frappe, souligne un consultant, c'est que lorsqu'apparaît un média nouveau, le même discours idéologique refait surface ; en effet on peut se rappeler que, bien avant les imprimantes, l'imprimerie avait déjà ses détracteurs. Ainsi était né le mythe de Faust.

3. L'ACCENTUATION

I. 1. a) avènement - c) évêque - d) interprète - e) pèlerin

2. a) réglementer - b) gâter - c) bateau - e) déjà

3. d) ambiguë - e) bienvenue

II. 4. éthique
5. poème
6. poétique
7. hétérogénéité
8. différenciation
9. obsolète
10. pérennité
11. hémophile
12. naître
13. hâtivement
14. velléitaire
15. s'exercer à
16. énergétique
17. rôle
18. répression
19. pessimisme
20. disgracieux
21. ségrégation
22. exégèse
23. emmêler
24. périmètre
25. frénétique
26. étrangeté
27. intéresser
28. éphémère
29. hôtellerie
30. conséquemment
31. théâtral
32. pôle d'activités économiques
33. zone d'éducation prioritaire
34. rémunération
35. éphéméride
36. événementielle
37. pâtre
38. interaction
39. électrotechnicien
40. coma éthylique

III. 41. Là *où* ils se trouveront *ou* il l'épousera *ou* il lui remboursera ses dettes.
42. Cette somme *due* sera recouvrable à partir *du* 1er octobre.
43. Il ne semble pas *a priori* qu'il faille recourir *à* la force sauf s'il y *a* lui-même recours.
44. Ceux qui ont plus *cru* en eux, leurs bénéfices ont *crû*.
Regardez *là* : vous *la* verrez. (Mais *regardez-la*)
45. *Voilà,* c'est fini ; mais tout *cela* nécessite que l'on s'en souvienne !

IV. 46. hospitaliser
47. symptôme
48. diplomatique
49. interprète
50. pêcheur (à la ligne)
51. tâche (travail)
52. piqûre
53. bâtiment
54. fenêtre
55. forestier

V. Rousseau est parfois appelé par dérision le citoyen suisse ou le Français de Genève. C'est une façon de rappeler qu'il n'est ni catholique, ni enraciné dans nos traditions séculaires. Par conséquent il ne saurait appartenir à notre culture. Mais ces préjugés nationalistes tombent dès que l'on veut s'annexer les retombées de sa gloire mondialement reconnue. Le citoyen de Genève devient alors un auteur français digne, pour ses idées et son style, de faire partie de nos grands hommes ; reconnaissante, la Patrie lui ouvre alors, *post mortem*, les portes du Panthéon.

4. L'ORTHOGRAPHE

I. 1.   a) pilule - b) pulluler - d) pilosité
2.   c) dû
3.   b)   Ce sont des gagne-petit.
      d)   Il n'y a pas de petits profits.

II. 4.   échappatoire (F)   10. amnistie (F)
5.   apogée (M)   11. effluve (M)
6.   écritoire (F)   12. autoroute (F)
7.   esclandre (M)   13. apologue (M)
8.   obélisque (M)   14. épigraphe (F)
9.   mausolée (M)   15. opprobre (M)

III. 16.   arrhes (f. pl.)
20. calendes (f. pl.)
22. annales (f. pl.)

IV. 23.   des alibis   26. des extra
24. des scénarios (rare : scenarii)   27. des sketches
25. des maximums (ou maxima)

V. Les mots corrects sont les suivants :
28. discussion   32. occurrence
29. s'intéresser   33. assonance
30. rationalisme   34. commettre
31. raisonner

VI. 35.   d)   flection doit s'écrire : *flexion*
36. a)   ommission : *omission*
37. b)   colonnel : *colonel*
38. b)   spychologue : *psychologue*
39. c)   abolission : *abolition*

VII. 40.   classicisme : oui   44. anthropomorphisme : oui
41. sensualisme : oui   45. impressionnisme : oui
42. existentialisme : oui   46. surréalisme : oui
43. nominalisme : oui

VIII. 47.   Elle écrit des nouvelles quoiqu'elle soit plus attirée par le roman.
48. Je ferai du cinéma quoique le théâtre me plaise davantage.

49. Je reste sur mes positions quoi qu'il en pense.
50. Quoiqu'il soit malade il continue à travailler.
51. Quoi qu' il en soit, il faut songer à conclure.
52. Nous ferons notre possible pour l'aider quoi qu'il arrive.
53. Quoiqu'il arrive en retard, il suit toujours avec intérêt le reste du cours.

IX. 54. Votre maison est mieux tenue que la nôtre.
55. À notre avis, il ne faut pas faire uniquement confiance à la chance.
56. C'est là tout ce qu'il nous reste, c'est là tout notre bien.
57. Le nôtre n'apparaît pas comme le travail le plus satisfaisant.
58. Réussir est notre première ambition.

X. *Cent-trente-trois* au lieu de *cent trente-trois*
Un mange-disque ; des mange-disques
Je *règlerai* au lieu de *réglerai*
Rêvè-je
Il déplait
Une croute
Il détèle
Elle s'est laissé faire
Des wattmans
Des leitmotivs (et non : *leitmotive*)

5. LE BON REGISTRE

I. 1. d)   2. b)

II. 3. 4.   b   (réalité objective) ou c (vous de politesse, voiture luxueuse et euphémisme)
5.   6.   a   (locution *est-ce que*)
7.   8.   c   (emploi du passé simple non historique)
9.   10. a   (répétition du sujet, terme populaire : *bagarre*)
11. 12. c   (vous, expresion recherchée)
13. 14. b   (langage technique)
15. 16. a   (absence de négation, incorrection, vocabulaire vulgaire : *môme, bosser*)
17. 18. b   (langue spécialisée en narratologie) ou c (jargon universitaire)
19. 20. b   (« degré zéro » de l'expression)

III. 21. b a c   23. a b c
22. c b a   24. b c a

25. c a b
26. a c b
27. b c a

28. a b c
29. c b a

IV. 30. interdit
31. bizarre
32. vieux
33. boucher

34. tour
35. casser
36. rabaisser
37. permission

V. 38. La personne risque de mourir.
39. Il est difficile de mesurer précisément l'intelligence.

VI. 40. Dans le monde du travail, les hommes ignorent les tracasseries du foyer. Au contraire, pour faire leur place, les femmes doivent assumer à la fois les tâches domestiques et les difficultés de l'entreprise. L'enjeu, il est vrai, ne manque pas d'importance.

VII. 41. expliquer
42. une lettre
43. un mal de tête

44. un petit livre
45. l'examen
46. parents, professeurs et enfants

VIII. 47. le chandelier
48. se coiffer
49. la lune

50. se marier
51. les larmes

IX. 52. s'en aller
53. être au courant de
54. avoir de l'expérience
55. se vexer
56. être distrait
57. renoncer
58. aider
59. De *Tartuffe* à *Dom Juan*, Molière s'est assagi.

X. Le spectacle a commencé vers onze heures vingt. Il s'agissait des *Fourberies de Scapin*. L'intrigue en est complexe : le domestique ne cesse de faire le bouffon ; il veut que son jeune maître se marie contre le gré de son père. D'après ce que j'ai compris, celui-ci n'arrête pas de dresser des obstacles. Mais Scapin réussit à le duper et à le faire entrer dans un sac où il est roué de coups.

XI. Tout de suite après cela, j'ai pensé au maréchal des logis Barousse, qui avait été tué, comme on venait de nous l'annoncer. Pour moi, j'avoue que ce n'était pas une mauvaise nouvelle. En effet, il avait voulu me faire passer devant le Conseil de guerre pour une faute sans importance. Ainsi la guerre, me disais-je, peut avoir un sens : elle rétablit au moins une sorte de justice.

6. UNE EXPRESSION JUSTE

I. 1.   d) : l'attentat est perpétré (il ne se perpétue pas)
2.   a) : en plein air - c) : de plain-pied
3.   b) - c) - e)

II. 4.   Deux ou trois personnes
5.   Bien qu'il soit malade
6.   Sa mère se l'accapare
7.   Agonir d'injures
8.   … qu'il n'y paraît
9.   … devant une alternative
10.   Nous sommes allés…
11.   … contre toi
12.   Il paraît que…
13.   … comme tout le monde
14.   … à partie
15.   … passante
16.   … plutôt que partir
17.   … ait…
18.   quoiqu'il soit…
19.   … fonde sur…
20.   … rebat…
21.   Il se le rappelle
22.   Recouvrer la liberté
23.   Infesté…
24.   On a une chance…
25.   Résoudre…
26.   … stupéfié
27.   Quant à lui
28.   Il travaille trop
29.   D'ici à lundi
30.   Il ne s'en est guère fallu
31.   Se rendre compte de
32.   émouvant
33.   en butte à
34.   être sur le même pied (ou sur un pied d'estal)

III. 35.   J
36.   F : Sans doute ignorons-nous
37.   J
38.   F : Ainsi nous continuerons
39.   J
40.   F : deux tercets

IV. 41.   sot, inepte
42.   s'immiscer
43.   lapidaire
44.   réfuter
45.   acuité, subtilité
46.   prolixe
47.   diserte
48.   digression
49.   se rétracter
50.   polémique

V. Les masques prennent une importance considérable, munis d'un toupet de cheveux. Les fameux cothurnes, qui symbolisent pour nous la tragédie, (chaussures à haute semelle propres aux acteurs tragiques) ne se généralisent qu'au IIe s.

À travers Rome toute cette évolution conduira au théâtre de la Renaissance. L'aspect romanesque des sujets est à mettre en relation avec les exercices des rhéteurs de l'époque. Les apprentis orateurs devaient en effet développer des situations extravagantes dans leurs exercices, qui ont donné également naissance au genre du roman.

7. UNE EXPRESSION CORRECTE

I. 1.   b) : l'affluent
2.   d) : négligent
3.   b) : Si tu étais admis, tu serais heureux.

II. 4.   Tu devais le trouver, or pour cela, il fallait d'abord que tu le cherches.
5.   Il n'y a pas de solution hors celle-ci.
6.   7.   Or il aurait été illogique d'abandonner un pays hors duquel il n'était pas agréable de vivre.

III. 8.   Visiblement, il ne savait qu'en penser.
9.   Quant à elle, elle préférait ne pas se prononcer.
10.   Nous sortirons quand reviendront les beaux jours.
11.   Nous sommes toujours déterminés, quand bien même faudrait-il tout recommencer.

IV. 12.   Voilà qui est une tout autre histoire.
13.   Bonjour tout le monde !
14.   Elles sont toutes semblables.
15.   Tous les dieux sont immortels.

V. 16.   Son image saine et sa force viennent de le faire apparaître comme un héros.
17.   Je me demande quelles sont les conséquences.
18.   Du fait de son éducation rigide, il est trop réservé.
19.   L'auteur argumente son point de vue à l'aide de nombreux exemples.
20.   Selon la classe sociale à laquelle on appartient, on n'a pas les mêmes habitudes.
21.   Il est rejeté par ceux de sa caste parce qu'il ne leur ressemble pas et qu'il n'a pas la même vision du monde qu'eux.
22.   Le conditionnement les oblige à accepter la place qui est la leur dans la société.

VI. 23. En vous remerciant encore, je vous prie d'agréer, Monsieur, l'expression de mon respectueux dévouement.

24. Alors que je marchais sur le trottoir, je me suis fait heurter par une voiture qui sortait du garage.

25. L'homme se distingue malgré tout car bien qu'il soit le moins spécialisé des animaux, il a de nombreux traits caractéristiques.

26. Quant à Jules Romains, dans son extrait de *Knock* datant de 1923, il présente l'intéressement des médecins à l'argent.

27. En assistant à *Lorenzaccio*, nous éprouvons les émotions violentes que le personnage exprime sur la scène. Nous comprenons sa déchéance auprès d'Alexandre de Médicis.

VII. 28. C'est un lieu où il entre et d'où sort beaucoup de monde.

29. En raison des grèves, c'est devenu un aéroport où n'atterrit et d'où ne décolle plus aucun avion.

30. Cette vision des choses permet d'éviter bien des critiques et de maintenir un grand confort intellectuel.

31. Grâce à la médecine moderne, on peut faire face aux graves maladies qui étaient considérées comme incurables il y a quelques années et accroître l'espérance de vie.

VIII. 32. s'engager à être assidu

33. permettre à quelqu'un de partir

34. refuser de s'avouer battu

35. se refuser à s'avouer vaincu

36. s'efforcer de trouver une solution

37. être d'accord avec les juges

38. remédier à une difficulté

IX. Règle d'or de l'achat immobilier, la sélection d'un bon emplacement obéit à de nombreux critères, sur le plan des communications et sur celui des équipements collectifs. En ce qui concerne les transports en commun, le train doit desservir le site, tandis qu'un nombre important de routes doit assurer le maillage du secteur.

X. Cette œuvre (*Modeste proposition...*), jusqu'alors considérée comme un pamphlet, illustre l'indignation de Swift quant aux conditions misérables faites au bas peuple irlandais. Dans ce texte il propose, sur le ton le plus sérieux et le plus docte, de manger les enfants des pauvres pour que ceux-ci deviennent riches.

8. UNE EXPRESSION CONCISE

I. 1.   c) Boire le calice jusqu'à la lie : souffrir jusqu'au bout.

II. 2.   On peut donc (*ou :* on peut par conséquent) parler de préromantisme.

3.   Une voix négative, voire une abstention, risque de faire échouer ce vote.

4.   Le texte est de facture classique, mais (*ou :* toutefois) il annonce une émotion romantique.

5.   En ce temps-là les Français ne formaient qu'une population de vingt millions d'habitants (*ou :* Les Français ne formaient alors).

6.   L'hygiène et la médecine se sont progressivement améliorées (*ou :* peu à peu).

7.   Selon moi, le classicisme est un sujet vague (*ou :* personnellement, je trouve que).

8.   Il est probable que l'on peut mieux définir la notion.

III. 9.   Souvent, les sportifs de haut niveau se révoltent.

10.   L'employé peut choisir sa mutuelle.

11.   Il semble que le tout-nucléaire soit une bonne solution pour l'avenir.

12.   On va voir qu'il vaut mieux revenir à des sources d'énergie traditionnelles.

13.   J'aime la peinture, la musique et la sculpture.

14.   Le ministre, qui souhaiterait la paix sociale, a dû abroger les décrets prévus.

IV.   15. Le nombre d'accidents de la route diminue grâce aux mesures draconiennes.

16.   Le progrès se situe sur les plans technique et moral.

17.   Au départ les deux femmes étaient amies.

18.   Apparemment, cette concurrence n'est pas très grave.

19.   On peut se demander si ce duel n'était pas un moyen de se rapprocher.

V. 20.   J'espère votre soutien.

21.   Certains philosophes croient à l'immortalité de l'âme.

22.   La fréquence des mots appartenant à un même champ lexical nous persuade de l'importance du thème.

23. 24.   Il ne faut pas succomber aux modes transitoires sous le seul prétexte de leur succès.

VI. 25.   Entre-temps, leur lutte a été de petite envergure.

26.   À travers leur agressivité, on peut comprendre qu'ils soient très motivés ; en effet le sport est leur seule et unique ressource pour vivre.

27.   La forte signification du mot « enfer » est atténuée dans ce passage par son emploi figuré : c'est en fait une comparaison.

28. Le philosophe Descartes a explicitement livré l'une de ses grandes théories dans *Le Discours de la méthode* pour lequel il est mondialement connu.

VII. J'admire toujours les gens qui font des projets ; alors que moi, je suis versatile et impulsive : un rien peut me faire changer d'attitude.

VIII. Les tableaux de Bassolier sont gentils et pratiques : de petits formats faciles à transporter ! Ils plaisent à la bourgeoisie, qui ne s'embarrasse pas d'idéal. Or toute la grandeur de l'art réside dans l'idée, et la beauté dans la grandeur. Dût-il nous choquer, l'art doit donc être démesuré.

9. UNE EXPRESSION CLAIRE

I. 1. a) - 2. e)

II. 3. c) - 4. a) - 5. b)

III. 6.   classicisme
7.   romantisme
8.   symbolisme

IV. 9. Apparu vers 1920, c'est un mouvement artistique qui, tournant le dos au réel, explore les domaines de l'imaginaire et de l'irrationnel.
10. L'esprit des Lumières se développe en Europe au XVIIIe s. Il se caractérise par son aspect scientifique, rationnel, objectif, et par les valeurs morales qu'il oppose au rigorisme religieux : tolérance, humanisme, liberté.
11. La Pléiade désigne un groupe de poètes de la Renaissance française ; les plus connus d'entre eux sont Ronsard et Du Bellay.

V. 12.   la crainte qu'inspire le père. 13.   la crainte qu'il éprouve

VI. 14. La maîtrise de la gestuologie peut apporter beaucoup à la communication. Cependant ce savoir ne peut être détenu que par un certain nombre de personnes. 15. ... peut n'être détenu que par...

VII. 16.   C'est le président qui autorise ou interdit. 17. Le président est surveillé.

VIII. 18. Il est mort d'une autre façon. 19. Il est vivant.

IX. 20.   Qui est-ce qui agrandit le cercle des connaissances humaines : l'élite ou la science ? Deux solutions : a) ...élite scientifique, puisqu'elle... - b) ...En effet, la science agrandit...

X. Mademoiselle, de même que la statue de Memmon rendait un son harmonieux lorsqu'elle était éclairée des rayons du soleil, de même je me sens animé d'un doux transport lorsque je vois rayonner votre beauté. Ainsi que l'héliotrope qui se tourne vers le soleil, mon cœur se tournera toujours vers vous, attiré par vos magnifiques yeux. Acceptez donc, mademoiselle, que je vous offre mon cœur et que je sois toute ma vie votre dévoué serviteur et mari.

10. UNE EXPRESSION VARIÉE

I. 1.   c) À la suite de votre parution...

II. 2.   b)

III. 3.   La main est prolongée par l'outil.
4.   Les thèmes de la Renaissance se poursuivent au cours du classicisme.
5.   La plupart des images de nos rêves sont empruntées au voyage et à l'exotisme.

IV. 6.   Mon grand-père me sauva.
7.   Le clonage met en péril la reproduction sexuée.
8.   Les nostalgiques de l'Art pour l'art dénoncent l'engagement politique et le militantisme moral.

V. 9.   Cette hypothèse laisse rêveur.
10.   Le scepticisme est de mise.
11.   Des exemples le démontreront de façon irréfutable.

VI. 12.   Selon M le bruit...
13.   Le bruit, comme en témoigne M,...
14.   Aux dires de M, il paraîtrait que le bruit soit...

VII. 15.   L'Empereur fait montre d'un profond sens politique, même dans le domaine architectural.
16.   Il sait habiller d'un style traditionnel ses idées révolutionnaires et novatrices.

VIII. 17. Il respecte, bien qu'incroyant, ceux qui ont la foi.

18. L'enfant dressé comme un singe savant s'efforce de plaire aux adultes.

19. Je m'évadais dans la comédie familiale tel une vermine stupéfaite, sans foi, sans loi, sans raison ni fin.

IX. 20. Zola nous expose que les ouvriers souffrent de ce que leur font subir les patrons.

21. Le texte montre que l'homme au fond n'est qu'un animal.

22. Elle déplore qu'il ne pense jamais aux autres et elle lui en fait le reproche.

23. Il proclame à tous ceux qui veulent l'entendre qu'il n'est pas coupable.

X. 24. Nous avons étudié l'algèbre et la géométrie, fait des exercices et tout revu.

25. Il déteste les sports collectifs mais il adore la gymnastique.

XI. 26. Élève assidu et sérieux ; travail régulier ; avis favorable mérité.

27. Molière, auteur comique, peintre de la nature humaine, moraliste classique qui n'a pas vieilli.

XII. Par ses actions, Domitien avait fini par se rendre exécrable. Son entourage l'abhorrait parce qu'il avait voulu être l'objet d'un culte de son vivant. Sa cruelle répression des complots dirigés contre sa personne lui avait aliéné l'appui des sénateurs qu'il avait décimés. Il poursuivait néanmoins une transformation de la fonction impériale qu'il voulait de plus en plus proche de celle des souverains orientaux.

XIII. Nous montrerons que la formation d'une telle langue, si elle se borne à exprimer des propositions simples et précises, comme le font les sciences et les arts, n'aurait rien d'utopique. L'exécution même en serait déjà facile pour un grand nombre d'objets. Pour d'autres, le principal obstacle à lever consisterait d'abord à reconnaître notre manque d'objectivité et de rigueur.

11. LE MOT PROPRE

I. 1. c) : un air - d) : l'air - e) : l'ère

2. e) faire un four : n'obtenir aucun succès

II. 3. 4. La charité est une vertu aussi utile pour celui qui en est le bénéficiaire que pour celui qui la réalise.

5. Il rassemblait les différents ingrédients nécessaires à la préparation d'un gâteau d'anniversaire.

6. 7. La pièce de Molière, « Dom Juan », ne correspond pas forcément à une comédie : les spectateurs peuvent rire mais aussi s'émouvoir suivant les représentations.
8. Les amateurs d'art se plaignent à juste titre de la dispersion de notre patrimoine culturel.
9. 10. Les pleurs de la vedette lorsqu'elle a obtenu sa récompense officielle ont beaucoup ému le public. Ce geste aura sans doute une répercussion commerciale.
11. 12. Il est trop timide pour se montrer enthousiaste. Mais son attitude est tout de même maladroite.
13. Il ne jouit pas d'une très bonne réputation.
14. 15. 16. Les châteaux de la Loire ne bénéficient pas tous du même intérêt. Certains comportent une valeur esthétique. D'autres offrent plutôt un témoignage historique.
17. Indiquez-moi ce qu'il faut faire.
18. 19. Il place l'argent à la banque et ne souffle mot à personne de ses transactions.

III. 20. aliènent
21. prédire
22. poursuit
23. prototype
24. oisiveté

25. compromet
26. tribut
27. corporatismes
28. instaure
29. propice

IV. 30. b)
31. c)
32. a)

33. a)
34. b)

V. 35. la moquerie
36. le conformisme
37. le déni

38. l'impartialité
39. la vigilance

VI. La critique de la religion, de ses institutions et de ses dogmes, l'anticléricalisme virulent pourfendant les églises ainsi que les vices et les ridicules des prêtres, s'accompagnent chez Voltaire d'une croyance en Dieu. « Je meurs en adorant Dieu, en aimant mes amis, en ne haïssant pas mes ennemis et en détestant la superstition », déclare l'écrivain avant de mourir.

VII. Les concurrents rivalisent et redoublent d'efforts sur les cendrées ; massée sur les gradins, debout, la foule de leurs camarades les acclame ou les conspue ; les Officiels sont assis dans les Tribunes et un même esprit les anime, un même combat les galvanise, une même exaltation les traverse.

12. LES FAUX AMIS

I. 1. d) - 2. a) : censé - 3. c)

II. 4. acception : sens particulier d'un mot ; 5. acceptation : accord
6. amende : contravention ; 7. amendement : modification
8. renoncement : détachement ; 9. renonciation : abdication
10. requête : demande ; 11. réquisition : plaidoirie, sommation
12. intérêt : rapport, attention ; 13. intéressement : rémunération

III. 14. exaucé
15. luxure
16. disciples
17. oratoire
18. attention
19. dégradations
20. sacrilège
21. effusion
22. inopportune
23. trait
24. empreinte

IV. 25. Il se prévaut des compétences de sa fonction.
26. Certaines taxes peuvent être prélevées chaque mois.
27. Généralement les fleurs exhalent au loin de doux parfums.
28. Le courage des héros est censé exalter la féminité de leurs admiratrices.
29. Un plan en plus de quatre parties est à proscrire.
30. Telle est la cure que son médecin lui prescrivit.

V. 31. b)
32. a)
33. b)
34. b)
35. b)
36. b)

VI. 37. très
38. limace
39. cave
40. neige
41. magie

VII. 42. subjectif
43. sévices
44. allocution
45. conjoncture
46. perspective

VIII. Il m'apprit avec beaucoup de tristesse la mort du bâtonnier de Cherbourg : "C'était un vieux roublard", dit-il, et me laissa entendre que sa fin avait été avancée par une vie de débauche. "Déjà depuis quelque temps je remarquais qu'après le dîner il s'assoupissait dans le salon. Les derniers temps, il était tellement changé que, si l'on n'avait pas su que c'était lui, à le voir il était à peine reconnaissable".

13. L'ACCORD

I. 1.   e) : les risques qu'elles ont pris

2.   La phrase correcte est la b).
a) : Les vases communicants étaient bien visibles.
c) : Les fabricants étaient accusés d'être aussi des trafiquants.
d) : C'était une femme fatigante pour son auditoire.
e) : Employée négligente, elle ne pouvait conserver notre estime.

3.   b) : vu la conjoncture
e) : marché conclu

II. 4.   Sujet apparent : il ; réel : deux colis et trois lettres
5.   Apparent : il ; réel : deux cartes
6.   Apparent : il ; réel : franchir la ligne blanche
7.   Apparent : il ; réel : deux petits nuages de vapeur blanche

III. 8.   Deux colis et trois lettres sont arrivés ce matin.
9.   Deux cartes sont manquantes.
10.   Franchir la ligne blanche est interdit.
11.   Dans l'air froid, deux petits nuages de vapeur blanche s'élevaient des naseaux du cheval.

IV. 12.   Vu la pluie incessante, les vendanges seront retardées.
13.   Nous sommes partis tous les six. À l'arrivée nous n'étions plus que quatre, ma sœur comprise, nos grands-parents nous ayant quittés en route.
14.   Le chapeau qu'elle s'est acheté lui va très bien. Son ami lui a offert la robe dont elle s'était éprise.
15.   Les catastrophes qui se sont enchaînées ont découragé tous les membres du groupe.
16.   Elles se sont félicitées du modeste appartement qu'elles ont loué à proximité de la mer.
17.   C'est un de ces grands problèmes dont la télévision s'était beaucoup préoccupée l'an dernier.

V. 18. V. A.
19. V. P.
20. V. P.

21. V. P.
22. V. A.
23. V. P.

VI. 24. Cette jeune fille, je l'ai vu rédiger son devoir toute seule.
25. Il a rédigé un texte.
26. Rédigez ce devoir !
27. Ne pas rédiger est un handicap.
28. Que rédigez-vous ?
29. La dissertation qu'il a rédigée est très intéressante.
30. Il a un article à rédiger.

VII. 31. Il les a trouvées formidables.
32. Enorgueillis par notre succès nous avons tenté de réitérer nos exploits.
33. Les hommes sont en smokings noirs.
34. Ils sont tous uniformes.
35. Les femmes portent des tenues extravagantes.
36. Chacune est différente de celle des autres.
37. Pierre a les yeux bleus.
38. Justine a les yeux marron. (adj. de couleur dérivé d'un nom commun)
39. 40. Il les a bleus ; elle les a marron.
41. 42. Leurs enfants les auront-ils bleus ou marron ?

VIII. 43. On a vu que dès la maternelle, garçons et filles étaient enclins à jouer avec des enfants de même sexe. Cette tendance au regroupement sexuel s'accentue vers six-sept ans jusqu'à l'adolescence et crée des sous-cultures bien différentes.
44. Il n'est pas nécessaire d'être diplômé de Harvard pour constater que les hommes sortent des usines, des bureaux, ou des magasins, à mesure qu'y entrent les machines.
45. L'élitisme reste l'ennemi, mais la signification du mot s'est subrepticement inversée. Aujourd'hui les livres de Flaubert rejoignent, dans la sphère pacifiée du loisir, les romans, les séries télévisées et les films à l'eau de rose dont s'enivrent les incarnations contemporaines d'Emma Bovary.

14. LES TEMPS VERBAUX

I. 1. a) : vous vous contredisez
2. d) : regarde-toi
3. d) : l'adjectif a la même forme que le participe

II. 4. présent passif
5. passé composé
6. présent passif
7. passé composé

8. présent passif
9. passé composé
10. passé composé

III. 11. 3^e
12. 3^e
13. 1re
14. 2^e
15. 3^e

16. 3^e
17. 3^e
18. 2^e
19. 1re
20. 3^e

IV. 21. dites
22. nous médirons
23. je maudis
24. il (elle) se plaint
25. être absous

26. ils auront été rédigés
27. qu tu exauces
28. il se hausserait
29. j'eus fini
30. ils se prévaudront

V. 31. passé simple, 1re pers. du plur.
32. indic. futur, 2e pers. du plur.
33. indic. futur antérieur, 2e pers. du sing.
34. cond. passé 2e forme, 2e pers. du plur.
35. infinitif passé passif
36. cond. prést, 1re pers. du sing.
37. cond. passé 1re forme, 3e pers. du sing.
38. passé simple passif, 3e pers. du sing
39. futur antérieur, 2e pers. du pluriel
40. indic. passé composé passif, 3e pers. du pluriel

VI. 41. conclue
42. dissoute
43. confondue
44. exclue

45. incluse
46. acquittée
47. acquise
48. séduite

VII. Tout à coup La Marseillaise retentit. Hussonnet et Frédéric se penchèrent sur la rampe. C'était le peuple. Il se précipita dans l'escalier, en secouant à flots vertigineux des têtes nues, des casques, des bonnets rouges, des baïonnettes et des épaules, si impétueusement que des gens disparaissaient dans cette masse grouillante qui montait toujours, comme un fleuve refoulé par une marée d'équinoxe. En haut, elle se répandit, et le chant tomba.

VIII. flanquant, reliait, avait demandé, bâtir, eut déserté, accomplit, épargnant, dit, aurait gravi, caché, contempler, déchiffrer, participeraient

15. LES PRONOMS RELATIFS

I. 1. c) : le film dont on présente le réalisateur
2. a) : C'est à lui que nous faisions allusion.
   d) : Voici le patron auprès duquel je suis délégué.

II. 3. *Le premier qui* : 3e pers. ; *les vit* : réalité objective, donc indic., *éclata de rire*.
4. *Il n'y a que vous deux* : 2e pers. ; *qui soyez :* subjonctif après restriction, *attentifs*.
5. *Je suis le seul qui aie :* 1re pers. et subj. comme précédemment, *pu résoudre cette énigme*.
6. *Nous, qui sommes :* 1re pers. du pluriel et affirmation, donc indic., *sûrs de ce que nous avançons, pouvons en faire une démonstration irréfutable.*

III. 7. que
8. quoi
9. qu'
10. dont
11. duquel
12. dont
13. où
14. que
15. laquelle
16. desquels

IV. 17. relative à valeur explicative
18. relative épithète
19. relative épithète
20. relative à valeur circonstancielle (causale)

V. 21. Pronoms relatifs : *qui* puis *laquelle*. Antécédents : *édition* (ou *disque*), puis *édition*.
22. En b) c'est assurément la contrefaçon qui va paraître. La première formulation est moins claire.

VI. 23. pronom : *dont ;* antécédent : *sort* (ou *arbitre*)
24. pronom : *duquel*, antécédent : *arbitre*

VII. 25. Le livre, dont je connais des extraits, m'a paru intéressant.
26. Il fut contraint de jouer aux cartes, ce dont il avait horreur.
27. Nous sommes arrivés en haut d'une colline d'où l'on voyait la ville.
28. Les médecins sont des personnes en qui nous devons avoir confiance.
29. Il demeure dans une embarcation qui est échouée près de la ville et qu'il a reconstruite de ses propres mains.

VIII. 30. Il ne se plaint pas de son <u>agent,</u> qui l'a beaucoup aidé à ses débuts.

31. Vous avez vu le <u>film</u> que je vous avais recommandé de voir ?

32. La <u>rencontre</u> de Mme de Warens, à laquelle on fait souvent allusion, se situe dans les *Confessions* de Rousseau.

33. Son père lui a légué des <u>livres</u> qu'elle a tous dévorés.

34. Il a été félicité, <u>lui</u> qui a su faire preuve de discernement.

IX. La <u>conformité</u> / **qui** lui parut dans leurs fortunes / lui donna pour Consalve cette <u>sorte d'inclination</u> / **que** nous avons pour les <u>personnes</u> / **dont** nous croyons les dispositions pareilles aux nôtres./

16. LES CIRCONSTANCES

I. 1. c) - 2. d) - 3. e)

II. 4.   a   9.   b
5.   d   10. b
6.   c   11. c
7.   a   12. a
8.   c

III. 13. **Sur les autoroutes virtuelles**, on devrait rapidement accéder à de multiples informations.

14. <u>En 2010</u>, les monnaies nationales ne seront plus qu'un souvenir **en Europe**.

15. <u>Au dernier moment</u>, l'inspiration lui est revenue.

16. <u>Les jours ouvrables</u>, il vaut mieux éviter de prendre sa voiture.

17. Le parc n'est ouvert que <u>l'été</u>.

18. C'est **au journal télévisé** que cette information est parue.

IV. 19. c : de façon qu'il puisse oublier toutes ses épreuves

20. a : Étant donné que tout est heureusement fini

21. c : de sorte que ses parents puissent être fiers de son travail

22. b : Afin que personne ne se sente lésé

23. a : Comme le conférencier était intéressant

V. 24.   cause - 25. conséquence - 26. cause - 27. conséquence

VI. 28 - 31 - 33

VII. 35 - 37

VIII. *Pour que :* but ; *donc* : conséquence ; *par* : cause ; *sans :* manière ; *ainsi :* conséquence.

17. LIENS LOGIQUES ET TRANSITIONS

I. 1. d) - 2. b)

II. 3. f - 4. d - 5. b - 6. e - 7. b - 8. f - 9. c - 10. a - 11. b - 12. c - 13. d - 14. a - 15. c - 16. f - 17. f - 18. d - 19. e - 20. d - 21. e - 22. f - 23. b - 24. e

III. 25. d'abord
26. en outre
27. de plus
28. d'autre part
29. cependant
30. néanmoins
31. pourtant
32. toutefois
33. donc
34. en définitive
35. finalement
36. pour toutes ces raisons
37. en effet
38. notamment
39. à tout le moins

V. 40. rétorquer, 41. proclamer, 42. assurer, 43. révéler, 44. prétendre

VI. 45. Je voudrais faire un sport afin de me détendre.
46. Je voudrais faire un sport qui me détende.

VII. 47. Comme ils sont très égocentrés, ils écrivent leur autobiographie.
48. Ils écrivent leur autobiographie car ils sont très égocentrés.

VIII. 49. Vous êtes jeunes et dynamiques alors que nous, nous sommes adultes et sages.
50. Vous êtes jeunes et dynamiques, mais nous sommes adultes et sages.

IX. 51. c)
52. b)
53. d)
54. a)

X. *Mots-clés* : psychanalyse, mythe, ethnologie, histoire, sociologie, interprétation (ainsi que détracteurs et exégètes), polémique
Mots-outils : tout d'abord, ensuite, encore, ainsi
Cinq alinéas : Si riche… (introduction)
Elle se cantonne tout d'abord… (première partie)

Elle s'impose ensuite… (seconde partie)
Plus sceptiques encore… (troisième partie)
Le mythe est ainsi… (conclusion)

18. LES FIGURES DE STYLE

I. 1. d) - 2. b) -3. c)

II. 4. métonymie
5. métaphore
6. périphrase
7. oxymore
8. euphémisme
9. hyperbole, gradation ascendante
10. répétition
11. anaphore
12. inversion de l'ordre normal : l'épithète antéposée crée de surcroît un effet de chiasme avec l'adjectif *opaque*

III. 13. Abstraction : *H*omme et personnification : *C*ommunauté ; anaphore (*c'est lui*) ; structure syntaxique répétée : nom + déterminant (*l'essence de ma culture…*) ; rythme croissant : dernier groupe plus ample se terminant sur une syllabe muette avec consonne allongeante (*victoire*)
14. Symétries (*toute négative, moins facile, plus élevée*) ; effet de chute sur *justice* ; cacologie (ironique de la part de Camus) : *vide, gouffre, succomber*

IV. 15. Phrases nominales

V. 16. <u>yeux</u>, **l'aube**
17. <u>filets</u>, **sillons que le gai laboureur trace à l'aide d'une fourchette dans de la confiture d'abricots**
18. <u>Nous</u>, **une pierre (traverse) l'onde**
19. <u>(celui)</u> <u>qui</u>, **Ulysse**
20. <u>terre</u>, **orange** - ou <u>bleue</u>, **orange,** ce qui est incongru.
21. <u>face</u>, **paume renversée**
Ordre : 19. 21. 18. 16. (surréaliste) 17. (dénude les clichés) 20.

VI. 22. Harpagon (*L'Avare*)
23. Crésus (Histoire)
24. Job (*Bible*)

25. Hercule (mythologie)
26. Mathusalem (patriarche biblique)

VII. 27. excessivement courageux
28. surgir
29. se hâter
30. une grande frayeur
31. sangloter
32. une atmosphère très franche

VIII. 33. b   35. a
34. c   36. d

19. LE RYTHME DES PHRASES

I. 1. a) : Nous réalisons tout par nous-mêmes.

II. 2. c) : rebat - e) : bâiller

III. 3. … parce qu'il était nouveau, que nous en connaissions l'auteur, et qu'il se jouait à proximité.
4. Ce livre peut vous intéresser. En effet, il est distrayant ; de plus ses caractères sont gros, il comporte 128 pages seulement ; enfin, ses illustrations et sa reliure ajoutent à son charme.
5. Grand, d'apparence forte et courageuse, le personnage semblait encore jeune et vigoureux.
6. Vu à la télévision, le sport est un passe-temps agréable ; sa pratique, elle, demande des efforts qui seraient vite dissuasifs.

IV. 7. Au XIXe s., les personnages de roman ne diffèrent pas seulement des personnages de théâtre contemporains ; ils sont aussi différents de ceux du roman classique.
8. J'ai écrit un essai sur le progrès des idées révolutionnaires en France sous l'Ancien Régime. Cela concerne la bourgeoisie éclairéé au moment où, en plein essor économique, elle manifeste son désaccord avec le pouvoir monarchique.
9. Si vous actionnez le signal d'alarme, le train s'arrête et les portières de chaque wagon s'ouvrent instantanément.

V. 10. La liberté démocratique résistera-t-elle aux nouvelles techniques informatiques dont les États-Unis et le Japon sont envahis ?
11. Il a pris un risque en choisissant le sujet qui portait sur la question de cours.

12.   Les fabricants, qui ont enfin compris l'attente du public, vont modifier leur stratégie.

VI. 13.   Les hommes ne croient plus à l'immortalité des civilisations.
14.   Tout contrevenant sera passible d'une amende.
15.   C'est un homme séduisant, très intelligent et d'une énergie extraordinaire.

VII. 16.   Si on a trouvé que l'entrée de Malraux au Panthéon allait de soi,/ c'est en partie parce que son hommage inspiré à Jean Moulin devant ce même Panthéon,/ en tant que ministre de la culture,// a représenté en 1964 un moment rare,/ dans son œuvre comme dans l'histoire du lieu/ et de l'oraison funèbre.
17.   Au moment où les grandes utopies du XIXe s. ont livré toute leur perversion,// il est urgent de créer les conditions d'un travail collectif de reconstruction/ d'un univers d'idéaux réalistes/ capable de mobiliser les volontés/ sans mystifier les consciences.
18.   Pour aborder ces échéances en position de force,/ pour construire une Europe respectueuse du génie des nations qui la composent/ et capable de rivaliser avec les grands ensembles mondiaux,// votre adhésion et votre soutien sont essentiels.

VIII. 19.   Cette redoutable infanterie de l'armée d'Espagne restait encore.
20.   Le lion joint la noblesse, la clémence, la magnanimité à la fierté, au courage et à la force.
21.   Ainsi ce demi-siècle de servitude se tenait devant ces bourgeois épanouis.
22.   Le peuple en vacances s'étalait, se répandait, s'ébaudissait partout.
23.   Une femme qui paraissait une quarantaine d'années bien qu'elle eût davantage montait l'escalier, avec un air de lassitude qui lui seyait, pendant que nous le descendions.

IX. 24.   la France, l'Europe et la planète entière
25.   un dressage, un conditionnement, un lavage de cerveau
26.   une erreur, un échec, ou même une catastrophe
27.   Nous-mêmes, mais aussi nos enfants et nos parents
28.   la justice, la solidarité et la modernité

X. 29.   La nuit vient, or les réverbères s'allument.
30.   Alors que la nuit vient, les réverbères s'allument.
31.   Les classiques imitent les anciens et les néo-classiques imitent les classiques, mais les modernes, eux, se prétendent originaux.
32.   Tandis que les classiques imitent les anciens, et les néo-classiques les classiques, les modernes, eux, se prétendent originaux.
33.   Le XVIe s. a vu naître l'imprimerie mais le XXe a vu apparaître l'imprimante.

34. De même que le XVIe s. a vu naître l'imprimerie, de même le XXe a vu apparaître l'imprimante.
35. La démocratie est considérée comme un progrès et l'esclavage une pratique barbare.
36. Si la démocratie est considérée comme un progrès, l'esclavage l'est comme une pratique barbare.
37. Il y a eu de grandes dynasties mais elles sont parfois peu connues.
38. Il y a eu de grandes dynasties qui sont parfois peu connues.

XI. 39. Il s'agit d'une antimétabole.
40. « C'est la sélection darwinienne qui crée la finalité, et non pas la finalité qui crée la sélection. » (J. Monod)

20. LES JEUX DE MOTS

I. 1. d) - 2. b) - 3. e)

II. 4. délire - 5. délice
6. manège - 7. ménage
8. sécateur - 9. spectateur, sectateur...

III. 10. « Tant va la cruche à l'eau qu'enfin elle se case. » (Allais)
11. « Tant va l'autruche à l'eau qu'à la fin elle se palme. » (Queneau)
12. « Tant va la vache à lait qu'à la fin elle se mange. » (Perros)
Dans la publicité : Les petits pipis font les grandes misères...

IV. 13. La mélancolie du titre l'a emporté sur l'euphorie de la démonstration.
14. Marx a triomphé aux dépens du marxisme... Faut-il vanter l'individualisme comme l'antidote du collectivisme ou bien le dénoncer comme l'ennemi de la cité ?
15. La vie imaginaire est plus vraie que la vraie vie. Ici, il y a en outre une antilogie, sorte de sophisme, cf. Lacan : « le signifiant exige un autre lieu... pour que la Parole qu'il supporte puisse mentir, c'est-à-dire se poser comme Vérité. »
16. Démentant la thèse qu'il soutient par l'idolâtrie dont il fait preuve, il célèbre l'allégresse de la mode et s'aveugle sur sa férocité, sa violence ségrégative.

V. 17. « Je résolus d'employer à mon bonheur ce que tant d'autres sacrifient à la vanité. » (Laclos)
18. « À la révolte comme mode a succédé la mode comme révolte. » (R. Jaccard)

19. « On peut mésestimer un auteur sans pour autant sous-estimer l'œuvre. » (M. Schneider)

20. L'aveuglement militant des uns alimente la démagogie aveuglante des autres.

VI. 21. Faites l'amour, pas la guerre. Le pouvoir est dans la rue, pas dans les urnes. (slogans de Mai 68)

22. Prenez la route, ne prenez pas de risques.

23. Théoriser n'est pas thésauriser.

24. Les prises de vue l'emportent sur les points de vue.

VII. 25. La curiosité intellectuelle n'est pas un vice. En principe.

26. La vie est un long fleuve tranquille. La mort aussi.

27. Ça n'arrive qu'une fois. Une seule.

VIII. 28. corps : organisme vivant (physique) et groupe socio-professionnel (cf. esprit de corps)

29. classe : catégorie (classement) et supériorité sociale (cf. avoir de la classe)

30. incorporer : manger (activité biologique) et introniser (rite symbolique)

IX. Grandiloquence lexicale.
Anaphore.
Rythme ternaire.
Isosyllabisme des deux premières phrases.
Effet de rime interne (devoir - mémoire).

X. Négliger/en négligé ; mot/avoir le dernier mot ; écran/faire écran.
Procédé classique, la pirouette finale repose sur une antimétabole.

GLOSSAIRE

Amphigouri : galimatias, expression burlesque, incompréhensible.

Anacoluthe : rupture de construction, fautive si elle est involontaire. Ex. « Après boire, l'homme qui regarde la table et qui soupire, c'est qu'il va parler. » (Giono)

Anadiplose : reprise en début de phrase du dernier mot de la phrase précédente.

Anagramme : mot obtenu par transposition des lettres d'un autre mot. Ex. *Marie* et *aimer*.

Antimétabole : échange des mots dans deux groupes voisins. Ex. « Le dedans du dehors et le dehors du dedans. » (Merleau-Ponty)

Barbarisme : faute grossière de langage, incorrection.

Cacologie : métaphore outrée. Ex. Le char de l'État vogue sur un volcan en furie.

Chiasme : disposition croisée de quatre termes. Ex. « Tel qui rit vendredi, dimanche pleurera. » (Racine)

Diacritiques (signes) : points, accents, cédilles, etc. destinés à empêcher la confusion entre des mots qui, sinon, auraient la même graphie.

Épiphore : répétition de mots à la fin d'une phrase (par opposition à *anaphore*).

Hyperbate : ajout inattendu à une phrase. Ex. « Albe le veut, et Rome. » (Corneille)

Isosyllabisme : même nombre de syllabes.

Oxymore : alliance de mots de sens contraire. Ex. « le soleil noir de la mélancolie » (Nerval)

Paronomase : rapprochement de mots offrant une similitude étymologique, rythmique ou phonique. Ex. « Omo est là, la saleté s'en va. »

Paronyme : mot proche d'un autre par le son. Ex. dégradation et déprédation.

Péroraison : conclusion d'un discours (par opposition à *exorde*).

Pléonasme : répétition redondante. Ex. Voire même.

Polysémique (adj.) : qui a plusieurs sens, ambigu, équivoque (par opposition à *monosémique*). Ex. Une légende réduit la polysémie d'une image.

Pragmatique : partie de la linguistique qui étudie les <u>actes</u> du langage, c'est-à-dire les rapports que celui-ci entretient avec les situations et les comportements.

Redondance : répétition. À l'oral, les signes redondants sont destinés, quoique superflus, à pallier les inévitables brouillages de la communication verbale.

Sémantique : partie de la linguistique qui analyse le langage du point de vue des significations. Alors que le *champ lexical* recense les mots qui se rapportent à une notion donnée, le *champ sémantique*, lui, étudie les différentes idées liées à un même mot.

Solécisme : faute de syntaxe.

Syntagme : groupe de mots, expression lexicalisée.

Univoque (adj.) : monosémique, qui comporte un seul sens.

TABLE DES MATIÈRES

Imprimé en France
par MAME Imprimeurs à Tours
Dépôt légal Mars 1998 (N° 98032144)